La femme de ma vie

FRANCINE NOËL A AUSSI PUBLIÉ

Maryse, VLB, 1983 ; Bibliothèque québécoise, 1994
Chandeleur, VLB, 1985
Myriam première, VLB, 1987 ; Bibliothèque québécoise, 1998
Babel prise deux ou Nous avons tous découvert l'Amérique, VLB, 1990 ;
Nous avons tous découvert l'Amérique, Leméac/Actes sud, 1992
La conjuration des bâtards, Leméac, 1999

FRANCINE NOËL

LA FEMME DE MA VIE

récit

LEMÉAC

Exergue : extrait de Samuel Beckett, *Comme c'est*, Éditions de Minuit, 1961.

Couverture : *Maman Berthe tenant son enfant dans ses bras*, vers 1889, Mary Cassatt (Allegheny 1844 – Mesnil-Théribres 1926), pointe sèche, n° 14, 23,7 × 16 cm ; Musée des beaux-arts de Montréal, don du docteur Francis J. Shepherd. Photo Musée des beaux-arts de Montréal.

Leméac Éditeur remercie le ministère du Patrimoine canadien, le Conseil des arts du Canada, la Société de développement des entreprises culturelles du Québec (SODEC) et le Programme de crédit d'impôt du Gouvernement du Québec (Gestion SODEC) du soutien accordé à son programme de publication.

ISBN 2-7609-3264-8

4609, rue d'Iberville, 3e étage, Montréal (Québec) H2H 2L9
Dépôt légal – Bibliothèque nationale du Québec,
1er trimestre 2005

Imprimé au Canada

[…] *je le dis comme je l'entends* […]

SAMUEL BECKETT

Merci à Lucie et Gaétane Bérubé, à Michèle Graznack, à Gérald, Lewis et Margot Marquis pour leur écoute et leur parole, et à Michèle Barrette pour sa présence amicale.

F. N.

I

LA FÉE LABORIEUSE

Ma mère parlait beaucoup. Elle aimait répliquer, commenter, raconter. Un rien lui était prétexte à récits : son travail, les gens dans la rue, les spectacles qu'elle voyait, et surtout notre saga familiale, pour laquelle elle utilisait toujours les mêmes mots. C'était une série de tableaux sans chronologie précise, venant d'autrefois, du temps que ses sœurs et frères vivaient sur la ferme à Cacouna ou de la période agitée ayant entouré ma naissance. Elle mêlait constamment son enfance et la mienne – ma courte vie au moment du récit – et ainsi j'entrais avec elle dans la cohorte. Elle était ma mémoire. Et je la croyais.

Mon plus ancien souvenir d'elle est une chanson. J'ai trois ans. Nous sommes le dimanche au moment atroce des adieux, chez madame Cauchy où je passe mes semaines pendant que ma mère travaille. Comme à chaque séparation, j'ai pleuré. Mais ce soir-là, pour que je m'endorme en douceur, les deux femmes ont convenu que *maman ne partira pas tout de suite, elle reste à veiller* et, ensemble, elles m'ont mise au lit. Par la porte entrebâillée, j'entends le piano mécanique et les grandes personnes rire au salon, je sais que ma mère est parmi elles, toute proche, et c'est tellement vrai que soudain sa voix s'élève en solo, pour moi seule. Elle chante *La vie en rose.*

Ce souvenir est une exception ; une fois, une seule, ma mère s'est attardée avant de reprendre le tramway qui la ramenait à sa chambre, quelque part au centre-ville de Montréal, très loin de chez madame Cauchy.

Le samedi suivant, elle revenait me chercher et j'avais l'impression d'être emportée par une fée. Tout ce qui entourait son corps m'attirait et me faisait envie, ses robes en crêpe de Chine, ses bijoux, ses colifichets, ses larges ceintures argentées. Je dormais dans son lit. Elle me donnait des noms d'animaux et m'abreuvait de ces formules idiotes de la tendresse qui ravissent les enfants et les gens qui s'aiment. J'étais son *petit rat d'automne et de printemps.* Elle m'apprenait des comptines dans lesquelles couraient des minous ayant perdu leurs mitaines et qui, penauds, s'en allaient trouver leur mère...

C'est à cette époque qu'elle a dû commencer à me conter des fragments de la saga familiale, de courtes phrases, proches de la contrepèterie, campant des personnages de son village natal : le beurrier Lévesque déambulant sur la grève et vendant de l'eau de mer à des habitants de l'arrière-pays ; le curé parlant à sa bonne en latin de cuisine pendant la messe : *Monsieur le curé, y a pus de farine ! Que j'vas-ti faire ?* Et le curé de glisser, entre deux *Kyrie* : *Secouam pochetam, epaissisam ragoutinam.* Tout était drôle alors, et léger comme sa main sur moi. Elle m'allongeait sur son lit et, du bout des doigts, elle m'effleurait des cheveux jusqu'au nombril – elle n'allait jamais plus bas que le ventre. Sur chaque partie touchée, elle disait, selon l'inspiration du moment : *cheveux d'or, front d'argent, sourcillon, sourcillette, petit œil, gros œil, nez camus, joue bouillie, joue rôtie, bouche de miel, menton fourchu, cou de tortue, falle de pigeon, estomac de plomb...* puis venait le moment attendu, à l'improviste, elle me donnait trois petites tapes sur le front, scandées par la formule : *pan, pan, pan, la baguette !* Cela déclenchait mon rire.

Ces heures d'intimité étaient trop brèves et le dimanche soir, invariablement, elle rentrait dans sa semaine de travail et moi, dans un temps d'attente et de désir.

Pourtant, je n'étais pas malheureuse chez madame Cauchy. Au contraire. Je l'appelais par son prénom, Aurore, « matante Aurore ». Je savais qu'elle n'était pas ma « vraie » tante, mais ça ne l'empêchait pas de m'aimer. Contrairement à ma mère, elle ne racontait pas d'histoires et elle était sévère. Mais j'aimais le contact de son corps corseté, ses grands tabliers fleuris, son odeur, son regard sur moi. Elle était propre et fière et elle portait son beau visage nu, sans aucune trace de maquillage.

À un moment vague autour de ma quatrième année, Paul Noël apparut dans la chambre de ma mère. Paul Noël était son mari et mon père, qu'elle avait quitté deux ans plus tôt. Il l'avait relancée et convaincue de lui donner « une autre chance ». La chambre, devenue plus vaste, était leur chambre. Moi, je continuais d'habiter chez tante Aurore et je ne dormis plus avec ma mère : les fins de semaine, les parents me faisaient un nid au pied de leur lit en réunissant deux fauteuils.

Je ne me rappelle pas ma mère aux côtés de mon père, et lui parlant. Une photo nous montre réunis tous les trois chez tante Aurore, mais c'est une photo. Dans mes souvenirs, je suis seule avec ma mère. Cela s'explique par le fait que Paul Noël a toujours été intermittent dans nos vies et que, même présent, il avait une grande capacité d'abstraction. Et puis, comparé à ma mère, il n'a jamais beaucoup retenu mon attention.

Je suis donc seule avec elle. Dans un train. J'ai cinq ans. Nous descendons à Cacouna voir grand-maman Odélie. Les trains étaient alors des lieux de luxe, tout de velours, de nickel et de linge blanc amidonné. On partait de Montréal le soir pour arriver à l'aube à la gare de Rivière-du-Loup. Maman a pris une couchette pour nous deux. Tout me plaît dans cette expédition, la veilleuse, les fous rires, nos chaussures se balançant dans le filet, le roulis, le bruit des roues glissant sur les rails et le huis clos délicieux.

Chez grand-maman, ma tante Fernande s'occupe de moi, mais ma mère n'est jamais loin. Son frère Lucien a la taquinerie lourde et la patience courte ; s'il m'attaque, elle me défend.

Il y a d'autres moments périlleux, des conversations à propos de mes oncles. Un tel est absent depuis la matinée. On le cherche. Quelqu'un dit l'avoir aperçu à l'hôtel Lévesque.

Ma mère : Il était comment ?

L'interlocuteur : Moyen.

Une autre voix : Moyen ! À l'heure qu'il est, il doit être passablement avancé !

Blanc dans la conversation.

Ma mère : Pourquoi ? Parce que j'aime mieux que la petite voie pas ça !
Son ton oppressé me trouble.

À l'adolescence, je décoderai ce dialogue : il arrive à mes oncles de passer des jours entiers dans un quelconque hôtel Lévesque, devant des bouteilles de « fort ». Ma mère ne voulait pas que je les voie ivres morts, mais je sentais ses appréhensions et je pressentais que Cacouna, le lieu salé du bonheur, était aussi celui d'un malaise.

L'autre endroit exceptionnel où elle m'amenait vers la même époque était la pharmacie Getz, établie à Montréal en plein quartier juif, sur la rue Sainte-Catherine, angle Saint-Urbain. Le commerce avait quelque chose du magasin de souvenirs pour touristes et du *pawnshop* ; ses vitrines intérieures étaient bourrées de montres, d'éventails japonais, de bibelots, de cuillers d'argent au manche coiffé d'une feuille d'érable et de bijoux en pierres du Rhin. Les médicaments se trouvaient confinés à l'arrière dans de splendides, énormes et inatteignables bocaux de verre. Monsieur Getz sortait rarement de son officine, et l'avant du magasin était le fief de ma mère, qui y régnait, rapide et efficace. Je circulais d'un domaine à l'autre sans que quiconque paraisse incommodé par ma présence, surtout pas monsieur Getz. Il parlait anglais – quand il ne parlait pas yiddish – mais pas français. Il prononçait le prénom de ma mère à l'anglaise, *Djeane.* Il appelait souvent *Djeane* d'une voix plaintive et confiante et, pour ses transactions avec les clients francophones, il s'en remettait à sa traduction. J'éprouvais dans ce lieu un sentiment de bien-être émanant à la fois de la personne de monsieur Getz et de celle de ma mère. Là, je voyais la fée laborieuse dans l'exercice de sa magie : pilules, parfums, sirops, cigarettes, elle faisait tout disparaître dans d'élégants paquets de papier kraft. Je ne sais pas pourquoi j'étais là avec elle, mais j'y suis allée plusieurs fois.

Un jour, elle quitta cet emploi, et presque au même moment, tante Aurore cessa de me garder. J'avais six ans et terminé ma première année scolaire. Mes parents s'étaient remis en couple et ils venaient d'emménager dans un appartement, rue Laval, entre la rue Sherbrooke et le carré Saint-Louis. Mais je ne pouvais pas demeurer avec eux car ma mère travaillait toujours. Dans une autre pharmacie. Elle se mit en quête d'une gardienne qui ne fût *ni folle ni sans-dessein.* J'aboutis chez *la pire des cochonnes et des paresseuses.* Je vécus dix mois dans cette porcherie sans trop en souffrir, c'était un espace morne entre les fins de semaine.

Après des vacances d'été chez tante Aurore, je vis encore moins ma mère, car elle me plaça dans un couvent au bout de l'île, à Pointe-aux-Trembles. Les dimanches, il y avait parloir ; elle devait faire un trajet de trois heures en tramway pour passer avec moi une petite heure sous l'œil aigu des religieuses.

Je n'étais pas heureuse dans ce couvent et, l'année suivante, alors que j'entrais en quatrième, elle m'inscrivit à l'école francophone de son quartier. Ce fut le début de la plus belle période de mon enfance : ma vie avec elle.

* *

Elle avait alors quarante ans, la démarche vive, un peu sautillante, sur talons hauts ; elle méprisa toujours les talons plats et les espadrilles. Elle avait les yeux marron, de gros seins, les hanches étroites, les jambes trop fines. Une petite figure à l'ovale parfait. Des mains que je ne saurais qualifier car j'ai les mêmes. Ses cheveux, presque noirs, étaient minces et raides. Elle disait que c'était à cause de l'incendie où elle avait failli mourir, et sur les rares photos de sa jeunesse échappées au feu, sa chevelure est longue et bouclée. Elle se tenait droite, ses mouvements étaient gracieux et elle gesticulait en parlant. On la considérait comme une jolie femme et, jusqu'à mon départ de chez elle, elle a toujours fait plus jeune que son âge. J'adorais marcher à ses côtés, traverser le carré Saint-Louis ou le parc La Fontaine. Mais le plus souvent, je la voyais venir vers moi, elle rentrait du travail les bras chargés de sacs d'épicerie et se précipitait pour préparer le souper.

Il n'y avait pas de service de garde à l'école ni de cantine. Les mères qui travaillaient à l'extérieur devaient user d'astuces et enseigner la débrouillardise à leurs rejetons. Je prenais mes dîners chez une voisine et, le soir, je me gardais moi-même, seule avec le matou tigré qui nous avait adoptées.

On se demandera peut-être où était mon père et s'il travaillait de nuit. Non. Mon père ne travaillait pas.

Il n'a jamais travaillé. Pourquoi, alors, ne s'occupait-il pas de moi ? À ces questions et d'autres similaires concernant Paul Noël, je n'ai aucune réponse satisfaisante. Je me souviens de cette remarque de ma mère à son propos : *Je ne peux pas lui faire garder Francine, il est comme un enfant, il est pas fiable.* Effectivement, je ne l'ai jamais entendue le consulter à propos de mon éducation ou des achats à faire. Je ne les ai jamais vus allongés côte à côte dans leur lit. Officiellement, il habitait avec nous, mais il pouvait s'absenter pendant des semaines. Sans donner de raison. Il parlait peu. Il dormait le jour, et la nuit, il stagnait dans la cuisine devant une tasse de café et une pile de « rouleuses ». C'est l'image la plus claire que j'ai de lui. Quand je me levais pour lire, il était là, immobile et silencieux. Rassurant, en un sens.

Le jour, je n'avais comme interlocutrice que ma mère, et elle me suffisait.

Ensemble, nous tenions maison. Elle me révélait l'usage caché des choses : le citron servait à blanchir l'ivoire des touches du piano, la bière, à faire une mise en plis, le lait, à dissoudre les taches d'encre dont je parsemais mes vêtements, une ampoule électrique devenait une poire à repriser, quant aux feuilles de thé, en plus de prédire l'avenir, elles avaient le pouvoir de nettoyer les tapis. Ces apprentissages m'étaient présentés comme des jeux et faits dans la bonne humeur.

Ma mère était cependant loin d'être une perle domestique. À part la cuisine et le tricot, je crois qu'elle détestait toutes les tâches de la femme au foyer. Elle avait un côté brouillon. La nappe blanche sur laquelle nous prenions notre repas du dimanche ne couvrait que la moitié de la table, l'autre étant encombrée d'un fatras de paperasses qui semblaient inamovibles. Chaque pièce de l'appartement avait ainsi ses amoncellements d'objets en attente ou inclassables.

La nourriture jouait un rôle prépondérant dans nos échanges et dans sa vie, et elle accueillait toujours avec joie les amis qui lui rapportaient des provisions de Cacouna : esturgeon, bigorneaux, harengs, éperlans, moules, maquereaux, des *mets de monsieur.* Le soir même, elle apprêtait les mets de monsieur et les dégustait avec le porteur du colis ou avec son amie Céline, une bonne fourchette native de Cap-Chat en Gaspésie. Quand il y avait des moules, je m'enivrais de leur odeur d'iode, je regardais le lit de varech sur lequel elles cuisaient passer du brun au vert, un vert vif et attirant. Je n'en mangeais pas, je me contentais de contempler ces métamorphoses.

Une autre alchimie me captivait, celle des *démonstrations* vespérales. En sus de son travail régulier, ma mère vendait des produits de beauté. Sporadiquement, notre cuisine était envahie par des dames à qui elle avait promis une nette amélioration de leur apparence. Les produits s'appelaient *Beauty Counselor* et elle en prouvait l'efficacité en maquillant l'une de ses aspirantes clientes, de préférence la moins moche.

Assise en retrait, comme au bord de la loge des femmes, j'assistais à ces cours d'esthétique. J'ai su, très tôt, qu'il faut faire des mouvements ascendants, ronds et souples sur la figure, et que tous les autres provoquaient un affaissement prématuré des traits.

Pour officier, ma mère avait son coffret de beauté, une solide et atroce valise en faux cuir rougeâtre. À part des graphiques indiquant comment se maquiller sans se beurrer, la valise contenait, en miniature, toutes les nuances de poudres, fards à joues, ombres à paupières et rouges à lèvres. Une orgie de couleurs dont chacune semblait avoir une odeur particulière.

Le parler de vente que ma mère servait à ses catéchumènes laissait entendre qu'une femme, même jolie, ne pouvait pas sortir sans fond de teint, *foundation*, le mot lui-même avait du poids. Malgré les termes qu'elle utilisait – cutané, derme, épiderme –, ses crèmes n'avaient d'autre prétention que d'être cosmétiques ; le maquillage était l'art du trompe-l'œil et ma mère en était la grande prêtresse.

Toutefois, ces divertissements n'étaient rien, comparés au bonheur de nos fins de semaine.

Les vendredis, elle faisait livrer une grosse commande et nous passions une belle et lente soirée. Quand la *grocerie* arrivait, il fallait ranger les aliments et en cuire certains, car nous n'avions qu'une glacière minable, qui coulait. Sur un minuscule poêle au gaz dont le four avait peu de profondeur, elle cuisinait tout : la plupart des mets « québécois » et les rares plats attrayants dont les îles Britanniques aient gratifié l'humanité, le *beef and kidney pie*, notamment. Son menu comportait aussi *des choses que les ignorants mangent pas parce qu'ils savent pas que c'est bon*, de l'agneau, du riz, des foies de poulet et beaucoup de poissons et de fruits de mer de chez Waldman. Elle s'approvisionnait rue Saint-Laurent, *comme les immigrés*, et en ramenait des trouvailles. Son rapport à la nourriture était à la fois enthousiaste et mesuré, je m'en rendis compte plus tard ; elle surveillait son poids, notre alimentation et les prix.

Après le souper, elle faisait ses tartes pour la semaine. Elle abaissait la pâte en mouvements vifs et sûrs avec une bouteille de bière enfarinée. Juste avant de les enfourner, elle me permettait de modeler le rebord des croûtes et de les badigeonner de lait sucré.

Au début de la soirée, elle avait mis en train une soupe avec les abats du poulet que nous mangerions le lendemain. Dans ce temps-là, les poulets avaient non seulement leur peau, parsemée d'énormes chicots, mais un foie, un cou, un gésier et, selon l'humeur du boucher, un ou deux cœurs. Ces extras mijotaient dans le bouillon. À la fin, ma mère me servait le cou, imprégné d'herbes salées du Bas-du-Fleuve. En principe, le vendredi était un jour maigre, mais elle interprétait à sa guise les décrets de l'Église : un cou de poulet n'était pas vraiment de la viande, je pouvais donc le déguster sans y trouver le moindre arrière-goût de péché ; ma jouissance était innocente et totale.

Les samedis, Radio-Canada diffusait les matinées de l'opéra en direct du Metropolitan de New York. L'émission, commanditée par Texaco Canada Limitée – on nous le répétait abondamment –, commençait à deux heures pile et durait tout l'après-midi ; c'était le temps de repos de ma mère. À deux heures moins cinq, elle ouvrait le poste de radio, placé sur le buffet de la cuisine devant sa planche à repasser – de ces planches étroites qu'on sortait d'une armoire murale. Comme l'idée ne lui serait pas venue de s'asseoir pour simplement écouter la musique, elle accomplissait alors des tâches ne nécessitant pas de va-et-vient, reprisage ou repassage. Dans un silence total, elle savourait son opéra du samedi. Pendant les entractes, de savants musicologues discutaient pointu et elle commentait leurs commentaires. Elle adorait Verdi, Puccini, la Tebaldi et *La Traviata*. Quand le public du Met regagnait la salle pour la suite de la représentation, elle redevenait silencieuse.

Le soir, nous mangions le poulet.

Les dimanches matin, j'allais la rejoindre dans son lit avec le cabaret du déjeuner. Elle avait le réveil lent et j'en profitais pour lui soutirer des permissions. Elle acquiesçait distraitement et nous restions là, à flâner. Parfois, elle allait à la messe, la dernière, celle des paresseux, et elle s'arrangeait pour arriver à l'église après le prêche. Elle disait : *J'ai entendu assez de niaiseries dans ma vie, j'ai pas besoin d'endurer les sermons du curé par-dessus le marché !* Mais généralement, l'heure de la messe coïncidait avec celle de sa crise de foie. Elle réclamait un verre de *ginger ale,* se tournait sur le côté et somnolait en attendant que ça passe.

L'après-midi, magiquement remise de son indisposition matinale, elle s'assoyait au piano. L'instrument lui avait été vendu avec les autres meubles de l'appartement par le locataire précédent. C'était un immense piano table en acajou, aux pattes incurvées et sculptées de grappes de raisin, au porte-musique orné de rosaces ajourées. Ma mère jouait de courtes pièces, des rondos, des romances, des gavottes. Elle adorait Liszt et Chopin, mais comme elle ne pratiquait jamais, elle en écorchait des passages, le déplorait, s'en vexait et, après une transition improvisée, elle se rabattait sur un répertoire moins difficile qu'elle pouvait, de toute façon, jouer à l'oreille et qui lui permettait de chanter. Elle passait de l'opérette aux *Negro Spirituals,* d'Allan Mills à Félix Leclerc, à Gershwin, à Bizet, à Kosma, à Cole Porter, à Théodore Botrel, dont elle imitait l'accent en roulant ses r. Elle avait une voix de soprano léger, agréable mais sans puissance, au registre peu étendu, pas assez pour chanter la plupart des airs d'opéra, ce qu'elle regrettait au point d'en être mortifiée. Elle interprétait tout avec fougue et aimait le mode majeur et les accords vibrants. Elle jouait pour elle-même, par plaisir, pour se perdre. Immobile sur le divan, je laissais sa musique déferler sur moi et me pénétrer.

Parfois, nous sortions nous promener. Le quartier s'étendait, pour nous, du parc La Fontaine à la rue Saint-Urbain et du mont Royal jusqu'au bas de la ville, c'est-à-dire quelque part autour de l'église Saint-Jacques, dont il ne reste aujourd'hui que le clocher. C'était un territoire chargé de signes. J'y avais mes propres repères d'enfant, mais c'est à ma mère que je devais le décryptage des signes, l'histoire de chaque édifice, de chaque maison, des passants. Elle m'expliquait les immigrants de la rue Saint-Laurent, les étudiants des Beaux-Arts qui fréquentaient la Paloma, les couples en tenue de soirée entrant au Club canadien et les mystères du monastère de la rue Sherbrooke et de l'église orthodoxe. Nous glissions dans cette mouvance courtoise, les hommes se retournaient sur son passage et j'avais l'impression de participer à sa beauté.

Deux endroits m'attiraient particulièrement. Le premier, un bâtiment donnant sur le carré Saint-Louis, abritait l'École du doux parler, dirigée par madame juge Lepage, la mère de l'actrice Monique. En plus du cursus régulier, on y offrait des cours de musique et de ballet ; un rêve de tulle rose que j'entrevoyais par les fenêtres. La maîtresse de ballet était nulle autre que Monique Lepage dans toute la splendeur de sa flamboyante jeunesse.

Le deuxième, une bâtisse ordinaire de notre rue, à l'étroite façade de pierres, avait vu grandir le poète Émile Nelligan. *Le pauvre Nelligan !* disait ma mère ; elle prononçait son patronyme à l'anglaise, on ne l'avait pas encore francisé. Je ne sais pas si cela est propre au mythe de Nelligan ou un trait de la psyché québécoise, mais comme une foule de gens, elle avait *son* Nelligan. Elle me présentait son éviction de la maison paternelle comme *le* drame et elle s'identifiait à lui. Leurs jeunesses s'étaient frôlées, avec quelques décennies de décalage, mais c'est un détail dont la fable ne s'embarrasse pas ; Émile avait connu son patelin, Cacouna ! Il y avait passé ses étés et admiré les mêmes paysages qu'elle. Du coup, le soleil de Cacouna se couchait aussi sur la rue Laval, c'était là une corrélation magique, et ma mère, qui m'instruisait de tous ces prodiges, devenait elle-même la quintessence de la poésie.

Comparée à tante Aurore, elle me paraissait fantaisiste et indulgente. Elle ne connaissait pas le Bonhomme Sept Heures et n'exigeait pas que je termine mon assiette. Elle voulait que je la tutoie. Si je tournais la tête alors qu'elle me coiffait, elle se contentait de me donner un léger coup de brosse sur l'épaule, comme une tape amicale. Quand elle sortait travailler, sa coiffeuse et sa penderie devenaient le terrain de mes jeux. Je mettais sa robe de nuit en satin blanc et j'étais la Traviata. À son retour, elle voyait bien que j'avais *pigrassé* dans ses affaires, mais elle ne me sermonnait pas.

Elle montrait la même clémence envers la peur qui m'habitait. Je ne craignais ni les voleurs ni le maniaque au rasoir ni les gypsies ni les autres enfants, rien qui vînt de l'extérieur, mais tout ce qui ressortit à la solitude et à la mort pressentie. Je me souviens très bien de cette peur, car elle ne m'a pas quittée avant ma quarante-septième année.

Je redoutais les coins sombres des maisons, surtout les garde-robes, ces fausses tombes debout dont parle Jacques Ferron. C'est là que se fixaient mes frayeurs sans visage. Attenante au salon où je dormais, il y avait une vaste penderie que j'osais à peine regarder. Un soir, pour ne pas aller dormir, j'alléguai la présence de « bonhommes de garde-robe ». Avec douceur, ma mère me fit entrer avec elle dans la petite pièce et passer en revue chaque vêtement pour vérifier qu'aucun n'était habité. Je me couchai aussi inquiète que d'habitude mais soulagée qu'elle m'eût prise au sérieux.

Contrairement aux autres adultes, elle semblait trouver normal que j'eusse peur, et je lui ai toujours été reconnaissante de ne pas m'avoir isolée dans cet étau par la moquerie, le déni ou une sanction. Je crois maintenant qu'elle devait se rappeler certains événements dont j'avais été témoin, bébé, et qu'elle comprenait ma terreur dans l'exacte mesure où ce sentiment lui était familier.

Sa permissivité, peut-être signe de complaisance, de fatigue sûrement, venait de son incapacité d'être toujours présente, mais aussi de sa conception de l'éducation : elle était *moderne*, elle croyait aux explications et faisait confiance à mon intelligence. Mes rares punitions étaient exemplaires et mes incartades, commentées. Pour ce qu'elle considérait important, elle savait être ferme. Elle tentait de m'inculquer son sens des responsabilités et de l'honneur en m'apprenant à faire face, à me tenir debout, à faire ma part.

Elle croyait aussi au partage. Autant elle répugnait à la visite annuelle du curé qui passait encaisser la dîme, autant la charité directe lui semblait aller de soi : *On aide ceux qui sont plus mal pris que nous, c'est une œuvre de miséricorde corporelle.* Et de me réciter la liste des dites œuvres : *Vêtir ceux qui ont froid, donner à manger à ceux qui ont faim, visiter les prisonniers, assister les agonisants,* et cætera. Une sorte de condensé du sermon sur la montagne. Ouverture, équité, fierté, c'étaient là ses valeurs, ce qu'elle voulait me transmettre. Elle le faisait avec à-propos et humour, mais les circonstances l'entraînaient parfois loin de ses principes et brouillaient sa bonne humeur.

Elle avait, en effet, des mouvements de colère dont je m'expliquais mal l'intensité.

Un jour, je fis un commentaire anodin sur son talent d'interprète. Elle comprit que je la trouvais médiocre pianiste. Elle dit : *Je joue comme je peux, j'ai pas le temps de pratiquer, il faut que je travaille, c'est ça la vie, tu verras !* Elle avait élevé la voix. Ce fut bref et strident. Comme un long cri dont on n'entend qu'un fragment quand on ouvre un appareil de son et que le volume est au plus haut. Elle changea de pièce et n'en reparla plus.

Une autre fois, j'étais allée à l'église avec l'école pour la confession. Les religieuses, qui touchaient peut-être une ristourne d'indulgences sur chaque brebis repentante, tenaient à ce qu'on nous administrât le sacrement tous les mois. Après leur départ, je m'étais attardée avec d'autres fillettes dans le sous-sol du lieu saint. Absoutes de nos péchés, légères, nous culbutions sur des rampes en métal. Ayant mal calculé ma distance, je me frappai la bouche sur une rampe et me brisai une dent. Je courus jusqu'à la maison, tenant dans ma main l'éclat de la dent, que j'exhibai à ma mère comme un morceau d'assiette cassée. Elle disait souvent : *Reviens avec tous tes morceaux !* Sa colère, diluvienne, me sembla absurde ; je ne saignais même pas ! Phrase clé : *Ça te déguise ! Ça te déguise pour la vie !* La dent, sectionnée en diagonale, était une incisive supérieure, j'avais maintenant un joli sourire de sorcière et elle m'en voulait de m'être *abîmé le portrait,* car elle n'avait pas les moyens de me le faire réparer chez l'orthodontiste. C'est seulement à l'adolescence que je mesurai à quel point j'avais hypothéqué mon capital.

Sa plus grande colère éclata un dimanche matin. Avec une comparse racolée je ne sais où, je m'adonnais sur le divan qui me servait de lit au jeu classique du docteur. Notre échange était purement physique, ce n'était pas de l'amitié. Au plus fort de la consultation, ma mère, que je croyais alitée avec son verre de *ginger ale,* fit irruption dans la place. Stupeur, fracas et invectives. En bref, elle avait donné la vie à une dévergondée. Ce soir-là, nous devions aller voir un spectacle des *Ice Capades.* Dans son emportement, elle décida de m'en priver et de s'en priver. Et elle entra dans un mutisme de plomb.

Quelle que fût la cause de ses colères, celles-ci se déroulaient toujours en deux temps : des éclats de voix puis le silence. Plus jamais elle ne reparlait de ce qui avait déclenché sa fureur et qui l'atteignait dans ses misères d'adulte ou d'ancienne enfant mal aimée. La musique, la beauté, la sexualité étaient ses points névralgiques. Surtout la sexualité. Elle ne badinait pas avec les fesses.

Mais ses moments de froideur muette étaient rares et, au quotidien, elle m'enveloppait d'une parole généreuse et pleine. Elle connaissait le poids des mots. Ils lui ont toujours été d'un grand secours pour attaquer ou se défendre, mais surtout pour séduire.

Le plus souvent, elle pratiquait la dérision. Elle imitait tout ce qui lui semblait outrancier, de la diction appliquée de notre propriétaire jusqu'à la prose ronflante du psychologue radiophonique Théo Chantrier, dont les billets commençaient par un « Madame ! » sonore et nasal. De vrais numéros qu'elle peaufinait à chaque répétition.

Elle avait le sens de la repartie et usait de nuances que d'aucuns ne saisissaient pas. Le mot d'esprit, surtout lorsqu'il frise le cynisme, suppose un raffinement particulier. Aussi, pour aller au plus pressé, avait-elle recours à un répertoire de proverbes : *Mieux vaut endurer sa bête que de la tuer, Dead dogs don't bite, La caque sent le hareng, Aux innocents, les mains pleines*, et tutti quanti.

Elle leur préférait toutefois la citation allusive et ne jouait certaines chansons que pour leurs paroles. *Good night, Irene, good night* servait à congédier les invités de notre propriétaire qui s'attardaient les soirs de semaine – ils marchaient au-dessus de notre appartement. *Le galérien* m'était adressé ; pour n'avoir pas cru sa mère, il ramait jusqu'à la fin des temps. Je savais que les galères étaient choses du passé, mais la chanson me plongeait dans un lac d'appréhensions et de délices : ma mère la chantait si bien ! Et il était difficile de lui en vouloir car elle se prenait aussi pour cible. Pendant des années, elle a pratiqué l'autodérision en interprétant avec véhémence une rengaine popularisée par Patachou, *Mon homme*. Mon homme était un marlou jaloux qui bourrait sa nana de coups et lui piquait ses sous. La pauvre se laissait taper car elle l'avait dans la peau, ça expliquait tout. Je ne comprenais pas ce que voulait dire avoir quelqu'un dans la peau, je savais seulement que mon homme désignait, *mutatis mutandis*, Paul Noël, et, innocemment, je m'amusais des paroles de cette chanson comme de tout ce que ma mère disait ; elle avait la grâce de la relation.

Sa voix parlée était claire sans être acide, ses intonations, légèrement chantantes, son articulation, impeccable : elle parlait net. Son accent n'était plus, hélas, celui du Bas-du-Fleuve – elle l'avait perdu quelque part entre Kamouraska et L'Abord-à-Plouffe – et elle passait pour une Montréalaise née à Québec. Son lexique était truffé d'anglicismes, comme celui de la plupart des gens à l'époque. Mais pas sa syntaxe. D'instinct, elle comprenait le fonctionnement de la langue et aimait la manier. Elle passait d'un niveau à un autre, mêlait expressions vernaculaires et termes savants entendus au travail et inventait des mots pour le seul plaisir de leur sonorité.

L'essentiel de ses récits prit forme au cours de ma première année de présence continue auprès d'elle, rue Laval. J'avais alors huit, neuf ans.

D'abord, elle évoquait les histoires des autres, qu'elle me présentait comme « la » culture. C'était aussi la sienne, celle qu'elle avait glanée au fil de conversations, de lectures, de spectacles. Elle me redonnait « tout » ce qu'elle savait, reprenant à sa manière des mythes grecs et des passages de la Bible, allant avec aisance de l'historique au légendaire et du profane au sacré.

C'est par son entremise que j'ai connu le loup Pélagneau de La Fontaine, Raminagrobis, Lamartine, Musset et Victor Hugo, Hercule nettoyant les écuries d'Augias, le roi Midas qui portait un bonnet pour cacher ses oreilles d'âne, Crésus, Nabuchodonosor dans ses jardins de Babylone, *La Charlotte prie Notre-Dame*, le poète légèrement scato Piron, Louis XIV, Marie-Antoinette, Cléopâtre, Liszt à Paris, Chopin à Paris, Joséphine Baker à Paris, Sarah Bernhardt à Montréal, le roi Dagobert, les jumeaux Ésaü et Jacob et leur plat de lentilles, Vercingétorix vaincu par les Romains, Clovis et le vase de Soissons, *Le vase* de Sully Prudhomme, *Le cygne* de Sully Prudhomme et tant d'autres.

À ce fonds, elle ajoutait les comptes rendus des spectacles qu'elle voyait. Elle avait une mémoire exceptionnelle – peut-être tout simplement celle des gens de sa génération, encore proches de la tradition orale – et on eût dit qu'elle connaissait par cœur les *Fridolinades*, pourtant déjà vieilles, et les pièces du Théâtre Club de Monique Lepage. Elle adaptait ses relations à mon âge et à son idée des convenances, mais en dépit de ces ajustements, j'ai encore l'impression d'avoir assisté à ces spectacles. Ses récits étaient menés avec vivacité, une anecdote en appelant une autre, laquelle, à son tour, nous entraînait ailleurs, bien loin de la cuisine où nous faisions la vaisselle.

* *

De toutes ses histoires, les nôtres, celles qui concernaient notre famille, se démarquaient par leur force et leur permanence. Elles avaient la densité du mythe. Données en vrac, elles constituaient un magma d'où émergeaient des événements fondateurs de son identité et de la mienne. Une cosmogonie qui prenait place dans l'éternité diffuse d'avant ma naissance.

Avant moi, ils avaient eu des chiens. Qui, « ils » ? Elle, ma mère, Jeanne Pelletier, et mon père. Soit qu'elle eût constitué avec lui un couple au sens courant du terme, soit qu'ils eussent été réunis par leur amour des chiens. Elle parlait d'un couple avec deux chiens, une sorte de famille à l'essai. Les chiens moururent avant ma naissance, l'un frappé par une auto, mort banale, l'autre, dans l'incendie de leur maison, mort glorieuse. Ce deuxième chien, Duchesse, était l'héroïne du récit de l'incendie.

C'était en automne, disait ma mère, mais ton père avait ouvert une fenêtre. Un bout de pellicule traînait sur une tablette, il en traînait partout. Ton père s'est allumé une cigarette, le vent s'est engouffré dans la place, la pellicule a revolé sur l'allumette et toute la maison s'est enflammée. Moi, j'étais avec Duchesse dans une autre pièce. J'étais enceinte de toi. Duchesse aurait pu s'échapper, et pourtant, elle est restée avec moi. J'ai perdu connaissance. Ils ont travaillé fort pour me tirer de là ; j'étais très grosse et ils m'ont fait passer par une petite fenêtre. Quand le tour de Duchesse est venu, il était trop tard... J'ai plus jamais voulu avoir de chien.

Elle encadrait toujours ce récit des deux mêmes phrases : *Tu as failli ne pas venir au monde... Tu es venue au monde quatre mois plus tard.* Un autre sinistre, simplement mentionné, l'accompagnait : l'inondation de la maison par la rivière en crue. Je confondais ces deux événements et je suis toujours incapable de les ordonner selon la chronologie et la vraisemblance. Ils étaient quasi contemporains.

La suite de l'incendie n'était pas la reconstruction de la maison mais la convalescence de ma mère et ma naissance :

J'ai passé l'hiver à l'hôpital. Tout avait brûlé, on n'avait plus rien, pas de vêtements pour toi. Alors, les femmes de ma salle ont tricoté du linge de bébé. Ton beau châle de baptême, c'est ma voisine de lit qui l'a fait. Elle me décrivait une salle commune, des femmes souriantes et jacassantes et, au milieu d'elles, elle-même avec son gros ventre et un bras emmailloté dans un pansement. J'entendais le cliquetis des aiguilles à tricoter. Le feu devenait une aubaine ; j'avais une garde-robe magnifique et bien garnie, renouvelée avant même d'avoir servi ! Bientôt, elle allait sortir de l'hôpital avec moi, son *précieux fardeau.*

Elle n'a jamais mentionné l'inévitable période d'insécurité qui suit un incendie, n'a jamais déploré la perte de meubles ou de bijoux. À l'occasion, elle évoquait celle d'effets personnels que rien ne remplace, lettres, photos, recettes de cuisine découpées dans des revues. Elle n'a jamais parlé de la douleur de ses brûlures ou de l'angoisse de la mort : le péril avait été conjuré par la présence de Duchesse à ses côtés. La chienne était l'image même de la fidélité et de l'amour sacrificiel ; elle choisissait de mourir avec sa maîtresse et, finalement, à sa place.

Cette histoire m'apprenait comment la petite Francine, encore à l'état de projet, avait été sauvée des flammes en même temps que sa maman. Le mélange des éléments, eau et feu, évoquait rien de moins que la Genèse, alors que les eaux du ciel sont mêlées à celles d'en bas et que le feu n'est pas encore emprisonné dans les grands luminaires. Tel était l'état du monde au moment de mon arrivée.

Pour une conscience adulte, il est tentant de voir, dans le passage de ma mère par l'étroite fenêtre et dans sa délivrance in extremis, l'évocation de son accouchement, dont elle ne parlait pas car c'eût été inconvenant. Métaphoriquement, nous naissions ensemble, nous étions extirpées d'un refuge devenu hostile et, portée par elle, je sortais vainqueure d'un brasier liquide.

Une inondation et un incendie ont bien eu lieu. Ils se sont produits sur la berge nord de la rivière des Prairies dans la localité de L'Abord-à-Plouffe, lieu nullement mythique, mais que l'imaginaire québécois situe quelque part entre le Diable Vert et Saint-Tite. Tout le monde ne peut pas naître dans l'île Saint-Louis. La maison brûlée et inondée était bâtie à côté de celle de mes grands-parents paternels, chez qui vivait le noyau dur de la tribu Noël.

Le récit du feu était un classique de ma mère. Elle ne pouvait pas – ou ne voulait pas – en faire l'économie, car la peau d'un de ses avant-bras était restée marquée, et il devait être important pour elle de me dire que cette cicatrice n'était pas de naissance mais due à l'incurie de mon père, ce doux pyromane.

L'incendie ne me concernait pas directement, il était l'ultime convulsion de la barbarie qui m'avait précédée. Quant aux chiens, ils avaient disparu pour me laisser leur place. Jeune, je justifiais mon statut d'enfant unique et l'étrange fonctionnement de notre famille réduite en racontant que j'avais failli ne pas naître et que j'avais remplacé les chiens de mes parents, deux braves bêtes mortes au champ d'honneur.

*

Un autre récit avait pour cadre L'Abord-à-Plouffe. Il se déroule dans la maison des Noël, dont la cour arrière était une « cour à scrape ». Dans cette maison, les parents de mon père et trois de ses frères : Ernest-qui-a-eu-une-méningite, Rodolphe, le maître de la scrape, et Henry, l'aîné, vivant en solitaire dans sa chambre à l'étage. Sont aussi présentes les acolytes de ma mère : sa sœur Fernande et son amie, mademoiselle Caron. Celle-ci est corsetière, corpulente et célibataire. Comme je connais déjà le décor, la narration commence abruptement :

Quand je suis partie de L'Abord-à-Plouffe, les Noël ne voulaient pas que je t'emmène. Ta tante Fernande était avec moi, mademoiselle Caron aussi, elle était venue m'aider. Rodolphe s'est emparé de toi, un bébé. Mademoiselle Caron a voulu lui prendre le bébé des bras. Rodolphe te retenait, mademoiselle

Caron a tiré, tiré, mais il voulait pas lâcher son bout. C'était tellement drôle de voir le vieux garçon et la vieille fille tirer sur le bébé chacun de son côté ! Tellement comique ! Fernande et moi, on avait le fou rire. Finalement, Henry est descendu de sa chambre et il a dit : « C'est son enfant, laisse-la partir avec... » Henry avait plus de bon sens que les autres.

À chaque occurrence du récit, qui n'a rien de comique en soi, ma mère prenait soin de me répéter qu'il s'agissait d'une bonne blague. L'anecdote m'était racontée parce que drôle, et drôle parce que déclarée telle.

Je n'ai jamais su pourquoi ma mère quittait mon père ni pourquoi, au moment de son départ, je me trouvais chez mes grands-parents. Il nous fallait fuir L'Abord-à-Plouffe, c'était un présupposé, une évidence. Ma présence est une entrave à la libération de ma mère, et pourtant, elle me revendique. Comme un deus ex machina, Henry descend alors de son Olympe de vieux garçon et il prend parti pour sa belle-sœur plutôt que pour son frère Paul. Quand il dit « c'est son enfant », il se trouve à reconnaître que ma mère est ma mère, et cette tautologie suffit pour que Rodolphe batte en retraite. On entend ici l'écho du jugement de Salomon, lequel avait déjà découvert à quel signe on reconnaît une vraie mère : c'est celle qui place la vie de son enfant au-dessus de son intérêt personnel. Au moment de ce récit, je vis avec ma mère, dans sa maison. Mon père y vit également, oisif, parasitaire et lunatique. Il ne fait rien pour moi. Ma mère fait tout, elle rapporte un salaire, achète la nourriture, la prépare et prend soin de moi. C'est donc uniquement d'elle que je relève, et je lui reviens depuis le début ; Henry, qui avait *plus de bon sens que les autres*, l'avait compris.

Je crois que ma mère ne pouvait pas s'empêcher de mentionner sa tentative de rupture avec le clan Noël et surtout la discussion alors tenue à mon sujet, car la question de la garde des enfants a joué dans son histoire personnelle un rôle déterminant. J'y reviendrai.

Ces deux épisodes l'abord-à-plouffois constituent l'essentiel du corpus Noël. Ma mère parlait peu de sa belle-famille. Ces gens-là étaient sans histoire, donc sans vie. Elle ne m'interdisait pas de retourner voir mes grands-parents, j'y suis allée quelques fois, mais leur bric-à-brac de rouille et de poussière ne me faisait pas rêver autant que l'univers des Pelletier de Cacouna, son côté à elle.

*

Cacouna était un endroit magique où une auto s'appelait une boîte aux caresses et les aurores boréales, des marionnettes. Ma mère en a tiré la majeure partie de notre saga. Il y avait le village et, plus bas que le village, face à la pointe sud-ouest de l'île Verte, la ferme.

D'abord le village. Au début du vingtième siècle, Cacouna était un endroit de villégiature à la mode, une station balnéaire fréquentée par le gratin de Québec, de Montréal et même de New York. Chaque été, les touristes envahissaient la région et les hôtels débordaient. Ma mère a connu, enfant puis jeune fille, l'effervescence de ces saisons estivales et elle les évoquait avec bonheur, mêlant visiteurs, autochtones et « attractions locales » : le *Mansion House*, la Pointe-de-Rivière-du-Loup où les Malécites vendaient leur vannerie, le varech en grappes que les servantes ramassaient pour les soins des dames, les parterres fleuris des *châteaux*, la messe du dimanche dans la petite église irlandaise, les jeunes de la place qui se glissaient parmi les touristes, il y avait là les Fraser, les Rioux de Saint-Arsène, les Lebel, les Beaulieu, les Dubé, les Marquis, les Ouellet, les Michaud, les Bossé, les Landry. Mais pas le curé Landry ! Celui-là était un repoussoir, un tyran écornifleur à la langue fourchue, un empêcheur de danser en rond. Les autres villageois, matois ou simples d'esprit, étaient gentils. Elle racontait tout ça dans ses mots à elle, avec juste ce qu'il fallait des mots de là-bas.

Au village, il y avait aussi des gens de sa parentèle, des tantes aux jolis prénoms et une ribambelle de personnages dont je ne savais pas s'ils nous étaient apparentés ou non : le chantre Jean-Marie, Dieudonné chez qui on allait chercher la crème fraîche, Philomène-t'arrives-au-bout-de-tes-peines, Philaminte aux cheveux teints, une entité de sexe féminin nommée Beubé, et cætera. Il y avait surtout la maison de sa tante Mélie et le jardin de son oncle Achille, proches du couvent qu'elle fréquentait, à cinq ans, elle y apprenait déjà le piano sous la férule de Sainte-Cécile, une religieuse plus revêche que les autres, armée d'une broche à tricoter. La salle de musique était froide en hiver et, à chaque fausse note, clac, ma mère recevait un coup de broche glacée sur ses doigts gourds. Mais le temps-contact avec Sainte-Cécile était relativement bref et elle pouvait pratiquer à son aise chez Mélie, où il y avait un piano.

La ferme de son père et ses alentours m'apparaissaient plus séduisants encore. Tout y était piquant, vif et fort ; la mer, la montagne, l'air du large. Les gens y parlaient en rimes et en paraboles. Ils avaient des noms étranges. Personne ne s'appelait bêtement monsieur Caron ou madame Dubois, mais Bidoux Caron, le Tine, le bonhomme Vezeau-tite-figure-jaune, la veuve Boucher-étire-toé, le Dinde, le Goueche, Laflèche, Marchebel, Pit-à-Paul, Pistache, Coco, le Blue, le Pique, le Chef, la Madone… Ceux de notre famille avaient au moins un surnom et chacun, son parler. C'étaient des gens de la mer, qui savaient naviguer et chasser le gibier d'eau. Ils tendaient sur le fleuve des pêches à fascines où s'emprisonnaient harengs, éperlans, esturgeons, plies, anguilles, capelans, maquereaux... Le fleuve était habité, alors.

Et sa rive aussi. Le long des battures de Rivière-des-Vases – c'est le nom évocateur de l'endroit –, il n'y avait pas moins de vingt fermes. Sur celle d'Horace Pelletier, mon grand-père, on faisait *tout* et quelques suppléments. Ils avaient un troupeau de vaches laitières qui paissaient dans les champs derrière la montagne et, face au fleuve, des cochons, des poules, des moutons, parmi lesquels la célèbre moutonne *sarfe* et le bélier malin, des chevaux, un élevage de renards argentés, des champs d'avoine qui valsaient sous le vent, un potager entretenu par la mère Odélie, une boucanerie et le p'tit commerce du père Horace, lequel approvisionnait en alcool les assoiffés du village et de l'arrière-pays.

Pour tenir à flot ces diverses entreprises, le couple Pelletier comptait sur ses enfants – onze en excluant ma mère –, sur un homme engagé, sur l'oncle Phonse et parfois une servante venue de l'île Verte. Autour de ce noyau stable, gravitaient les voisins et des passants : le peddleur, le maréchal-ferrant, les quêteux, dont Pierrot-les-culottes, et la clientèle des concessions en manque de poisson frais et de bouteilles de fort. Pas question qu'ils repartent la panse vide ! Ils restaient à manger la nourriture d'Odélie et trinquaient avec Horace.

Les frères et sœurs de ma mère se confondaient dans un écheveau d'astuces, d'exploits et de répliques savoureuses. Les garçons *fréquentaient* à l'île Verte, en face, et l'hiver, pour aller voir leurs blondes, ils traversaient le pont de glace au péril de leur vie. Ils étaient *jeunesses*. Ils se chicanaient entre eux, boudaient puis se raccommodaient. Quand quelqu'un était vraiment fâché, il prenait le sentier de la montagne, derrière la maison, et revenait par le chemin des vaches, défâché et prêt à former de nouvelles alliances pour ourdir de nouvelles machinations, des tours pendables, dont il avouait être l'auteur, ou n'avouait pas, ou les imputait à d'autres. Chacun avait sa version des faits et racontait les histoires à sa façon, à son avantage. Ils étaient tous des conteurs facétieux, prenant plaisir à comparer leurs versions et savourant celles des autres autant que la leur.

Sur ce fond picaresque, deux jeunes filles se détachaient : ma mère et sa sœur Blanche. La belle Blanche, entrée au cloître à dix-sept ans, en était ressortie onze ans plus tard par une dérogation spéciale de Rome. Ma mère, la Jeanne, était la préférée de son père : *Quand je suis née, j'avais les yeux foncés et des cheveux noirs de Sauvagesse mais j'ai toujours été la préférée de mon père.* Le dernier segment de la phrase revenait, ponctuel comme un refrain, entre chaque anecdote.

Ce père, un petit homme vaillant à l'œil malicieux, avait fière allure. Le dimanche, il attelait sa jument grise pour aller à la grand-messe. Tout au long de la route, en chantant, il passait des messages à sa famille et des commentaires sur les terres de ses voisins, mêlant ses mots à ceux du *Kyrie*, du *Gloria*, du *Credo*, et ainsi de suite jusqu'à l'*Ite missa est.* Quand son boghei débouchait sur la place de l'église, il avait déjà chanté toute la messe.

Parmi ces héros du panthéon familial, apparaissait parfois un jeune personnage : moi-même, du temps que j'étais *petite.* Les mères aiment dire à leurs rejetons comment ils étaient, bébés. La mienne ne me racontait pas tant mes prouesses que mes mots d'enfant : *Quand on t'appelait pour faire une chose qui t'intéressait pas, tu répondais : « J'as pas le temps et j'as la main sale. » Tu grimpais partout. À Cacouna, l'été de tes trois ans, tu es montée sur une butte et tu as dégringolé. Fernande et moi, on t'a vue disparaître derrière la butte. Pas un son ! J'ai dit : « Qu'est-ce qui se passe, Francine ? » Tu es réapparue, l'air offusqué. Tu as dit : « Rien. J'as tombé et je me ramasse. » On cillait de rire.*

Elle avait une bonne dizaine d'anecdotes de ce genre. Ce qui est significatif, outre le plaisir qu'elle prenait à me citer, c'est le travail de sélection opéré par sa mémoire. Par la mienne aussi, bien sûr. Mais même à supposer que ce soit moi qui aie choisi d'oublier mes prouesses physiques pour donner plus de relief à mes reparties, ces mots d'enfant me viennent d'elle ; il a bien fallu qu'elle me les raconte, et plusieurs fois. Je crois que son préféré était *J'as tombé et je me ramasse.*

* *

Quel intérêt ma mère prenait-elle à ces récits ? Elle ne cherchait pas à s'y donner le beau rôle car, sauf exception, elle se tenait en retrait de l'action, dans la position de la narratrice. Voulait-elle répondre à mes questions d'enfant ? Non plus. Les récits n'ont pas besoin d'être suscités, ils sont des réponses à des questions qui n'ont pas encore été formulées et n'auront jamais besoin de l'être. Ils sont à la fois question et réponse. Ceux de ma mère jaillissaient à l'improviste, à propos de tout et de rien. Elle en usait comme de l'humour, pour survivre. Qu'elle évoquât les exploits d'Hercule ou ceux de notre famille, elle était portée par son émotion de conteuse et me livrait des sentiments qu'elle ne pouvait pas – ou ne voulait pas – exprimer autrement : la fable lui était un truchement, une nécessité. Il y avait chez elle une telle joie de dire, une telle conviction, que j'épousais entièrement son point de vue. Ma vie était la vie selon Jeanne Pelletier. Comme tout conteur, elle choisissait à même le réel et le transformait. Elle me proposait une vision allégée du monde. Elle me désignait ma place dans ce monde et notre saga familiale traçait la charpente de mon histoire personnelle, qui s'inscrivait dans le prolongement de la sienne.

Puis je fis une fausse manœuvre et fus exclue de ce bonheur.

* *

Un matin du deuxième automne que je passai rue Laval, en allant à l'école, je fus prise d'un haut-le-cœur. La perspective de végéter une autre journée dans ce lieu inhospitalier me répugnait. Je rebroussai chemin et me la coulai douce à l'appartement. Quand ma mère rentra, je ne dis rien de mon foxage d'école. Je repris ce manège plusieurs fois... jusqu'à ce qu'elle s'en rendisse compte. Sommée de m'expliquer, j'invoquai de vagues maux de ventre. Aussitôt, elle me fit voir par un médecin. Celui-ci ne découvrit pas ma supercherie, il ne découvrit rien du tout, mais comme j'étais pâle – au bord de l'anémie ! –, il déclara que l'air de la campagne me serait salutaire. Après les vacances des fêtes, je me retrouvai à Sainte-Julienne chez les parents de tante Aurore.

Ces gens n'avaient aucune des qualités de leur fille et quelques défauts, dont celui de m'adresser rarement la parole. L'hiver fut long.

Ma mère vint me voir quelques fois, en autobus, sa valise pleine de gâteries. Elle partageait mon lit, écoutait mes doléances et me faisait rire. Nous étions complices.

Ma tante Aurore passa l'été suivant à Sainte-Julienne et sa présence tempéra celle de ses parents. Pour la première fois, je me fis des amis. Je venais d'avoir dix ans. À l'automne, ma mère m'annonça qu'elle m'avait trouvé un couvent. Un bon. Elle avait l'air satisfaite. Je ne compris pas pourquoi, guérie de mes fausses langueurs et devenue plus raisonnable, je ne pouvais pas retourner chez elle. La mort dans l'âme, j'entrai au pensionnat des sœurs de Sainte-Anne à Lachine.

Mon enfance merveilleuse auprès d'elle était terminée. Cela avait duré un an et demi.

* * *

Pourquoi tant de séparations ? Ma mère me le répétait souvent : elle *devait* travailler. Elle ne pouvait donc pas se consacrer uniquement à mon éducation comme l'eût fait une femme au foyer. Mais pourquoi, alors que je suis au seuil de l'adolescence, choisit-elle de m'envoyer une seconde fois dans un pensionnat ? Depuis ma naissance, j'avais connu sept gardiennes différentes – au moins –, et chez elle, je n'avais jamais eu mon lit à moi...

Elle portait en elle une blessure jamais cicatrisée ; elle non plus n'avait pas eu de lit dans la maison de sa mère. Voici comment elle racontait son départ dans la vie :

Quand je suis née, j'avais les cheveux foncés et des yeux noirs de Sauvagesse. Un dimanche, maman est montée au village pour entendre la messe et elle m'a laissée chez la tante Mélie. En me voyant, Mélie a dit : « Oh ! Le beau bébé ! » Après la messe, quand ma mère est venue me reprendre, Mélie lui a dit : « Laisse-moi-la pour la semaine, Odélie, c'est tellement un beau bébé ! » Ma mère m'a laissée là pour la semaine. Le dimanche suivant, Mélie a dit : « Encore une semaine, Odélie ! » « D'accord », a dit ma mère... Pas longtemps avant, Mélie avait perdu sa petite fille. Ma mère n'allait pas au village tous les dimanches, ça dépendait de l'état des chemins. D'une fois à l'autre, la tante Mélie trouvait des prétextes pour me garder.

Finalement, ma mère ne m'a jamais reprise. C'est pas elle qui m'a élevée, c'est Mélie. Mais j'étais la préférée de mon père.

Ma grand-mère Odélie ne montre aucun empressement à reprendre Jeanne, qui était pourtant sa première fille après trois garçons d'affilée. Pourquoi cède-t-elle si facilement aux pressions de sa sœur ? A-t-elle la tuberculose pour s'éloigner ainsi de son bébé ? Fait-elle une dépression post-partum ? Jeanne est-elle une bâtarde que le père Horace, le mari trompé, aurait voulu écarter ? Non, répond le récit de ma mère, *j'étais la préférée de mon père.* Toutefois, ce père n'intervient pas dans la transaction qui se noue entre les deux sœurs, et c'est à Odélie seule qu'est imputée la responsabilité de la cession du bébé. Il ne s'agit pas d'un événement unique mais d'une situation qui s'installe par la répétition du même geste d'abandon. Durant toute mon enfance, le dimanche, Jeanne voit sa famille s'entasser à l'église dans les bancs des Pelletier. Elle les voit de l'extérieur, depuis le banc des Bérubé où elle doit s'asseoir entre Mélie et son époux, Achille Bérubé. Elle n'est ni une vraie Pelletier ni une Bérubé.

Son statut est d'autant plus inconfortable qu'Odélie n'a jamais renoncé à son titre de mère : *L'été, quand j'allais à la ferme en visite, ma mère me disait : « Appelle-moi maman, c'est moi, ta mère ». Mais la tante Mélie voulait aussi que je l'appelle maman. J'étais prise entre les deux.* Comment Jeanne était-elle en présence de ses deux mères ? On peut l'imaginer tendue, quasi muette, n'osant nommer ni l'une ni l'autre.

L'épisode du départ de L'Abord-à-Plouffe prend ici un sens supplémentaire. Il n'éclaire pas tant mon histoire que celle de ma mère : le bébé dont on se dispute la propriété, c'est aussi elle, partagée entre deux femmes. Sauf que pour la petite Jeanne, aucune sentence ne sera prononcée. Sa mère aura huit autres enfants, qu'elle déposera le dimanche chez sa sœur. Et qu'elle reprendra au sortir de l'église. Jamais elle ne repartira avec Jeanne.

Enfant délaissée, il n'était pas question pour ma mère de m'abandonner à son tour. Elle ne m'a jamais dit qu'elle m'aimait ou qu'elle avait désiré ma naissance, mais son insistance à me raconter notre sortie du clan Noël me laissait entendre qu'à ce moment-là, elle m'avait voulue et choisie.

Au quotidien, il est possible qu'elle ait éprouvé quelques difficultés à me supporter, j'étais une enfant remuante. Faute de pouvoir m'élever avec un homme responsable, l'idée du partage de ma garde avec d'autres femmes devait lui sembler un moindre mal.

Elle s'est toujours efforcée de rendre harmonieux mes passages d'une maison à l'autre et elle n'a jamais pris ombrage de mon attachement envers tante Aurore, qu'elle considérait comme une alliée plutôt qu'une rivale. Elle a eu la finesse de me suggérer qu'elle ne me rejetait pas et que nos séparations étaient hors de son contrôle ; c'était la faute des *circonstances.*

Incapable d'éprouver du ressentiment envers cet être merveilleux dont « la vie » m'éloignait, je la désirais de toutes mes forces.

II

LA FEMME FARDÉE

Le couvent de Lachine, progressiste, retournait les pensionnaires à leur famille pour les fins de semaine. Nous retrouvâmes donc, ma mère et moi, le rythme du temps des gardiennes. Mais nos anciens plaisirs étaient gâchés par l'obligation, toute nouvelle, de m'instruire ; je m'embourbais avec constance sous une montagne de devoirs. Le dimanche, ma mère s'assoyait encore au piano, mais vers la fin de l'après-midi, elle me disait : *Passe-moi ton cahier, ça ira plus vite.* S'il s'agissait de composition française, je refusais. Je ne doutais pas de ses capacités de bien rédiger, seulement j'en faisais une affaire personnelle, et elle assistait, impuissante, à mes combats avec le Plan, la Narration, la description, le pittoresque et le choix de jolis adjectifs décoratifs. Pour le reste et surtout les maths, je trouvais son idée excellente, ne mettant aucune fierté à résoudre des problèmes de robinets qui coulent à des vitesses fantaisistes et que certains psys associent au père. Elle parvenait aussi à rendre présentables mes travaux d'aiguille, erratiques et démaillés. Elle n'hésitait pas à substituer son savoir à mon inexpérience, car elle trouvait trop exigeant le programme d'études et trop sévère la discipline conventuelle. Souvent en désaccord avec les religieuses, elle leur tenait tête.

Cela se jouait au téléphone, contre la supérieure, une personne affable affublée du faciès de Fernandel, qui écopait les gaffes de ses subordonnées. Je n'entendais que les répliques de ma mère, d'une savoureuse perfidie. Elle considérait tout couvent comme un milieu hostile a priori et dès le début, la légendaire Bibiane lui avait déclaré la guerre. La sœur Bibiane était l'économe de l'institution ; à ce titre, elle empochait dévotement les chèques de nos pensions. À l'occasion de la remise du premier chèque, elle avait demandé à ma mère s'il y avait des « tares cachées » dans notre famille. Le fait est que nous étions plutôt bien tarées ; sur ce plan, mon père constituait un morceau de choix. Bibiane soupçonnait son existence et si elle avait rencontré mes oncles « sur la brosse », elle en aurait avalé sa cornette. Elle ne pouvait que soupçonner, et ma mère l'avait envoyée paître.

Elle savait toutefois garder ses saillies pour les cas extrêmes et, comme toujours, elle s'épanchait dans des récits. Notre roman familial s'enrichissait maintenant de scènes la mettant directement en vedette. À part le long plan-séquence d'un galant éconduit qu'elle repousse à coups de pieds et qui dévale une colline, ce nouveau répertoire avait pour cadre son travail.

Les lieux de sa fierté étaient les écoles de rang où elle avait enseigné avant son mariage. De ce premier métier, les plaisantins de la famille – Fernande et Bertrand – disaient qu'elle avait gardé le goût du commandement. Ce n'était évidemment pas ce type de griserie qu'elle évoquait devant moi. Elle se campait joliment en *petite maîtresse d'école* frayant avec les élites locales et s'émerveillant des progrès de ses élèves. L'école était toujours loin de Cacouna dans des villages aux noms étranges comme Tuxberry ou Campbelton et elle y passait toute l'année scolaire.

La pharmacie Getz est un autre endroit dont elle aimait se souvenir : le personnage du pharmacien lippu et bon enfant, bon patron, ses vieux amis qui fréquentent son arrière-boutique, les robineux venant acheter leur alcool à friction et, surtout, la fois du hold-up… Alors que *Djeanne* est seule dans le commerce, survient un voleur armé. Il la braque et exige la recette de la journée. *Djeanne* ferme le tiroir de sa caisse, dévisage le gars et lui enjoint d'aller faire son hold-up ailleurs. Elle ajoute qu'il est effronté et présomptueux. Bref, elle l'engueule. Désarçonné, le malfrat déguerpit. À son retour, monsieur Getz sermonne affectueusement l'intrépide *Djeanne*, qui n'a même pas appelé la police… Ma mère racontait toujours ce fait d'armes avec un sourire victorieux ; ignorant tout des arts martiaux et de la réserve sereine que leur pratique est censée apporter, elle ne tournait pas le dos au combat. Et elle détestait recevoir des ordres.

Elle travaillait maintenant dans un trust et m'en rapportait des anecdotes *de bureau*, de véritables historiettes dans lesquelles même les imbéciles étaient sympathiques.

Mais je grandissais et ma perception d'elle se modifiait. Elle n'était plus seulement une voix mais un corps de femme, que je découvrais en même temps que le mien. Ce corps, enrobé et paré, tenait plus de l'icône que de l'organisme vivant. Elle était une beauté immobile. Je ne l'ai jamais vue prendre une marche de santé, nager, courir, danser, bouger autrement que pour des raisons utilitaires. Et elle ne pratiquait aucun sport.

Elle hiérarchisait les sens selon l'échelle de valeurs la plus courante dans notre culture. Le tact ne semblait pas exister ; elle caressait le chat mais me touchait peu. Le goût était réservé au culinaire et l'odorat, aux odeurs agréables ; elle faisait brûler de la myrrhe et discutait parfums, mais ne parlait jamais des mauvaises odeurs. Le verbe puer – et tout ce champ sémantique nauséabond –

était pour elle extrêmement vulgaire. En contraste, elle exaltait les sens « nobles », la vue et l'ouïe.

Conséquemment, nos corps pouvaient être regardés et entendus. Ils ne devaient produire rien d'autre que des paroles et des chants. Le fait qu'il existât des choses sous la peau, glandes, viscères, fluides, humeurs et liquides, était, autant que possible, ignoré. À l'exception de sa crise de foie dominicale – le foie incluant la vésicule biliaire, mot dont je me délectais et ma délectation l'amusait –, elle n'évoquait les organes que sur le mode métaphorique ou médical. La géographie interne du ventre, qui se manifestait à certaines douleurs, était désignée par le médicament approprié : elle remplaçait le mot intestin par Entérovioforme et utérus par Midol. Visiblement, elle se méfiait de l'organique et essayait de s'en tenir loin. Je ne doute pas qu'elle ait connu des moments de volupté et qu'elle fût sensuelle, mais elle contenait sa sensualité.

De sexualité, il ne fut jamais question entre nous. Une fin de semaine, je revins du couvent avec mes sous-vêtements tachés de sang. Elle me montra une serviette sanitaire de la taille d'un sandwich sous-marin et me dit : *Tu es une grande fille, maintenant. La prochaine fois, tu mettras ça.* Mon éducation sexuelle se résume à ces deux phrases. Il n'y a rien là de singulier. Avant les années 1970, on n'ennuyait pas les écoliers avec les prouesses de l'embryon et des termes intensément anatomiques tels que trompes de Fallope ou liquide séminal. On leur laissait tout deviner. Et on se permettait quelques plaisanteries salaces, entre adultes. Ma mère avait les siennes, qu'elle réservait à la visite. Par contre, c'est sans aucune gêne qu'elle faisait allusion au *dévergondage* d'une foule de personnages du type Dame aux camélias ou Irma la douce, qu'elle qualifiait de demoiselles de petite vertu, d'hétaïres, de courtisanes, de demi-mondaines, de filles de joie, de catins, tous les vocables lui étaient bons sauf le mot pute, et rien ne portait à conséquence car cette faune nageait en pleine licence culturelle. Pour le reste, c'est-à-dire le réel, motus et bouche cousue. Un vide verbal entourait la plupart des aspects de notre vie physique.

Par contre, elle consacrait beaucoup de temps à sa toilette. Et à la mienne. Je ne parle pas ici d'hygiène mais de coquetterie. De tout ce que nous pouvions étaler au regard des autres.

Pour les religieuses, le mot peau était obscène et le corps n'était que l'enveloppe de l'être humain. Ses parties se nommaient souliers, bas, robe, visage, béret et mains. Le corps selon ma mère était plus détaillé et moins prude. Nous n'avions ni cuisses ni fesses, mais des jambes, des épaules, un cou et des bras qui se dégageaient de la robe où fleurissaient la taille et le buste. La taille se remarquait à une couture et le buste, à des pinces plus ou moins profondes, selon qu'on *en* avait ou pas. Les mains s'ornaient d'ongles vernis. La figure était minutieusement détaillée et la tête, une chevelure à soigner. Le corps féminin s'appelait beauté. Il était un don à mettre en valeur par tous les artifices que la vie sociétale prescrivait : nous avions nos crinolines et nos escarpins, le fer à friser et le rouge à lèvres.

Parmi tous ces ornements, ma mère préférait les vêtements. Malgré son silence autour de la sexualité, elle s'habillait de façon suggestive. Elle ne portait que des robes à manches longues pour dissimuler son bras marqué par le feu. Elle ne parlait jamais chiffons, la toilette n'étant pas pour elle un sujet de conversation mais une pratique. Elle magasinait seule, à la sauvette pendant ses heures de dîner, et elle arrivait à la maison avec de grands sacs. Chaque nouveauté, qu'elle fût pour moi ou pour elle, me réjouissait. J'avais grandi vite, à douze ans j'étais presque de sa taille et, par une effronterie que sa clémence encourageait, je considérais sa garde-robe comme la mienne. Nos vêtements étaient d'ailleurs rangés ensemble dans le placard de sa chambre. Je ne lui demandais pas la permission avant de m'emparer d'un morceau, j'agissais comme si elle eût été une sœur aînée tolérante et elle ne voyait dans ma manie chapardeuse que gamineries.

Ses cheveux trop fins, elle les *plaçait* elle-même, estimant ne pas avoir les moyens de fréquenter les salons de coiffure, et elle prenait sa revanche sur ma tignasse. Jadis, elle avait mené sur ce terrain une guerilla amicale à la tante Aurore : frise d'un bord, frise de l'autre, chaque femme tournait les boudins dans son sens et reprenait ainsi possession de moi.

Au couvent, je me coiffais seule, mais le samedi matin, ma mère me lavait la tête dans l'évier de la cuisine et elle mêlait à l'eau du rinçage le jus d'un citron pressé. Je n'échappais pas à cette cérémonie hebdomadaire. En contraste avec les religieuses qui entretenaient un rapport hystérique à tout ce qui était poilu – elles nous auraient préférées chauves –, ma mère magnifiait les cheveux. Elle m'avait nourrie depuis l'enfance de contes chevelus ; de Rapunzel à Lady Godiva, nos héroïnes avaient d'interminables tresses, qui n'étaient pas une partie du système pileux mais le lieu du pouvoir féminin.

Si la beauté de la chevelure était innée, celle de la figure se façonnait, et ma mère restait la maîtresse de cette valeur ajoutée qu'est le maquillage. Elle ne donnait plus de démonstrations mais avait gardé son coffret *Beauty Counselor*. Elle se faisait des masques maison. Quand elle tranchait un concombre, elle se passait l'entame sur le front, le nez, le menton – *propriétés astringentes, mon enfant* ; quand nous avions des fraises, elle en mettait une de côté pour s'en barbouiller à loisir la figure, la fraise ayant une *forte teneur* en je ne sais plus quoi. Et ainsi de suite, avec tout le garde-manger. Ces opérations étaient aléatoires et improvisées mais sa séance de maquillage, un rituel quotidien.

Sur un coin de la table de cuisine, à côté du cendrier où fumait sa cigarette Black Cat, elle posait un miroir grossissant – de ceux qu'on vendait dans les 5-10-15 – et elle ouvrait sa petite trousse bon marché : mascara, crayon à sourcils, *curler* pour friser les cils, poudre compacte et, surtout, rouges à lèvres divers, tirant vers l'orangé ou le mauve selon le vêtement qu'elle allait porter. Elle se maquillait avec soin et terminait par l'application d'un parfum lourd comme Shalimar de Guerlain. Elle avait sur le visage une pellicule de fards aussi forte qu'une armure : le masque de la beauté. Ses frères l'avaient surnommée « la madone » et elle faisait tout pour correspondre à cette image. Moi, j'avais à peine atteint l'âge du rouge à lèvres que je m'en procurai un tube et m'y dardai. Elle fut aussi tolérante en la matière que pour mon habillement.

* *

Malgré cette connivence autour de l'ornementation, malgré tous nos falbalas et ma participation à ses artifices, c'est dans nos corps mêmes que se cristallisèrent nos premiers heurts et mes premiers désenchantements. Ces dissonances ne relevaient pas tant du paraître que de la sensibilité tout entière et déjà, dans mon enfance, j'en avais vu les signes avant-coureurs.

La première année que je demeurais avec elle, rue Laval, elle m'avait inscrite aux cours de piano de l'École du doux parler. Je ne vois pas ce qu'elle espérait, car enfin elle savait que je n'avais aucun talent musical, elle me disait : *Tu fausses, Francine. Et quand tu ne fausses pas, tu détonnes.* J'avais vite compris que mes tours de chant l'irritaient et je m'abstenais de chanter en sa présence. Mais je devais pratiquer mes gammes et à chaque note écorchée, je pleurais de rage. Au bout de quelques mois, je la suppliai de cesser les cours. Elle eut une de ses colères froides : *Tu ne veux plus apprendre le piano ? D'accord. Tu l'annonces toi-même au professeur.*

Ce que je fis sans problème. Elle avait ajouté une phrase que j'eus la stupidité orgueilleuse de prendre au pied de la lettre : *Ne me demande jamais de suivre d'autres cours !* Soit dit en passant, je n'avais rien demandé et ce qui me faisait envie, c'était le ballet, mais je n'en ai jamais parlé ; elle avait déjà fait d'inutiles sacrifices pour une sous-douée de l'oreille. Cet épisode avait jeté un froid entre nous.

Vers la même époque, nous avions eu un autre moment pénible. Elle avait mis la main sur une lettre destinée à un voisin de mon âge dont j'étais amoureuse. Elle m'interrogea longuement et sembla étonnée de mes réponses, comme scandalisée. Je ne comprenais pas pourquoi ; je ne lui disais que la vérité sur une passion toute platonique. À la fin, elle me demanda : *Ce garçon-là, tu l'aimes plus que moi ?* Sans hésiter, je répondis un oui très clair qui mit fin à la conversation. Elle avait atteint cette part de moi qui me distinguait d'elle ; j'avais des pensées, des espoirs, une vie en dehors de la sienne. Et moi, surprise qu'elle ait lu une lettre qui ne lui était pas destinée et blessée par son manque d'empathie, j'avais eu l'impression d'être envahie. Durant mon été doré à Sainte-Julienne, juste avant d'entrer au couvent, j'avais connu l'amour fou. Elle a dû sentir qu'une partie de mon désir se déplaçait vers d'autres.

Puis vint le jour où je fus mortifiée à cause d'elle.

La communion solennelle nous servait de rite de passage – un bien pâle rituel qui ne s'avouait pas comme tel – et j'en aurais peut-être conservé un souvenir encore plus pâle, n'eût été la présence remarquée de ma mère. C'était le dimanche matin et la chapelle du couvent, qui pouvait contenir quatre cents personnes, était pleine à craquer. L'entrée principale était à l'avant entre le chœur et la nef ; il fallait donc, pour aller s'asseoir, remonter une allée et faire face à l'assistance. Pour nous préparer à manger le corps du Christ en toute connaissance de cause, les religieuses nous avaient gardées durant la fin de semaine, nous étions déjà sur place comme des novices allant prononcer leurs vœux et les parents venaient nous rejoindre à la chapelle sans nous avoir vues au préalable. Ma mère est arrivée alors que la cérémonie était déjà commencée et elle a dû marcher jusqu'à l'arrière pour se dénicher une place. Elle essayait de se faire discrète, mais le bois du parquet craquait cruellement sous ses pas. Le lendemain, une copine m'a demandé : « Est-ce que c'est ta mère, la femme maquillée qui est arrivée en retard ? » Oui, c'était bien ma mère : une femme maquillée, en retard et seule. La même femme, arrivée à l'heure dans une auto conduite par un mari, aurait suscité l'admiration. Soudainement, j'ai eu honte de cette mère solitaire, besogneuse et clinquante. Et honte d'avoir honte. Un fossé commençait à se creuser entre nous.

Il n'y eut pas de moment précis où elle cessa d'être parfaite de figure et de corps, mais je fus la proie d'une prise de conscience fulgurante de son altérité. C'est le matin au couvent dans la salle commune, j'époussette mollement une rangée de chaises, je pense à elle et je la vois de l'extérieur comme je la verrai toujours par la suite avec ses failles et ses pauvres efforts pour les camoufler. J'ai onze ans.

À mesure que mon corps de femme se dessinait, il apparut que ma morphologie était différente de la sienne ; je n'aurais jamais son buste imposant. Par contre, j'avais des jambes solides, qu'elle qualifia de *grosses pattes*. Elle me trouva d'autres défauts de fabrication et, sincèrement navrée, me proposa des moyens de pallier ces imperfections. Je n'ai pas suivi ses conseils car je commençais à contester son usage du corps et, surtout, je n'en revenais pas de me découvrir si différente d'elle. Je ne m'aimais pas encore, mais je ne voulais pas lui ressembler.

Au tournant de mes quatorze ans, il n'y avait plus rien de fusionnel entre nous. Quand elle regardait par-dessus mon épaule alors que j'accomplissais une tâche, son souffle dans mon cou me révulsait. Nos nuits, surtout, étaient pénibles. En principe, je dormais sur le divan du salon mais, je ne sais pas pourquoi, peut-être parce que mon père ne vivait plus avec nous, vers l'âge de quinze ans, je partageais son lit. J'occupais la place que j'avais tant convoitée et cela m'était un supplice : les yeux ouverts, croyant me tenir immobile, j'entendais sa respiration de femme endormie et je me crispais. Au matin, elle me reprochait d'avoir bougé toute la nuit. Même le jour, il y avait en elle des choses, des détails, des gestes qui m'atteignaient jusqu'au dégoût et dont sa verve ne parvenait pas à me distraire.

Le décor ne pouvait pas non plus me faire oublier ces irritants, il avait changé. L'année de mes douze ans, la présence de mon père étant déjà aléatoire, nous avions quitté la maison de la rue Laval, devenue trop grande. J'avais vécu ce déménagement comme un exil dont je tenais ma mère responsable. Pour nous avoir bannies de cet univers propice au rêve, elle avait perdu une part de sa poésie. Elle nous avait casées au nord de la ville, rue Boyer, dans un trois pièces mal isolé. Notre unique fenêtre avant nous donnait à voir une rangée de hangars mal alignés et un garage du type auto body repair ; le comble de la laideur ! Je ne me suis jamais habituée à cet appartement qui n'avait pas même l'avantage de m'offrir une chambre à moi.

Comparé à ce paysage de tôle triturée, le couvent de Lachine était un lieu de beauté et d'harmonie. Devant l'immense bâtisse de pierre coulaient le canal, aux berges plantées de peupliers, et, au-delà, le fleuve, qui forme à cet endroit le lac Saint-Louis. Un parc aux allées boisées nous tenait lieu de cour de récréation et la lumière pénétrait à flots dans les salles de classe par de grandes fenêtres à la française. Comme chez tante Aurore, les règles étaient contraignantes mais simples. L'école publique n'avait jamais fait concurrence à ma mère, je m'y ennuyais et croyais tout tenir d'elle. Mais je découvris que certaines religieuses aimaient aussi la littérature, l'art, l'Histoire. Elles avaient tout leur temps pour nous transmettre leurs passions. Le goût d'apprendre s'empara de moi et, inconsciemment, j'en voulus à ma mère de ce qu'une partie de mon savoir me vînt dorénavant d'étrangères.

Bientôt, je préférai le couvent à la rue Boyer. Les fins de semaine, les pensionnaires qui habitaient trop loin en province n'allaient pas dans leur famille, de même que celles qui « faisaient de la retenue » – c'était la pénitence préférée des religieuses. Ma conduite peu orthodoxe fit de moi une bonne candidate à cette activité parascolaire et j'accumulai les colles avec une sombre délectation : des pages et des pages de dictionnaire Gaffiot à copier ! J'avais tellement d'heures de retenue que je passais souvent la fin de semaine entière au couvent. Je ne voyais plus ma mère que pendant les congés des fêtes et l'été. Vers la fin – j'avais dix-sept, dix-huit ans – je ne me donnais plus la peine d'inventer un coup pendable ou une excuse, je déclarais simplement à la religieuse en chef : « Je ne sors pas, ma sœur, j'ai trop de devoirs. »

J'avais beau jeu car pendant toutes ces années, chaque fois qu'un litige s'élevait entre les religieuses et moi, ma mère écoutait d'abord ma version des faits et, presque toujours, elle prenait ma part. Peut-être ne défendait-elle qu'une partie d'elle-même, mais du point de vue d'une enfant, c'est beaucoup mieux que d'avoir contre soi tous les adultes ligués. Je pouvais compter sur son appui et sa vindicte verbale. J'avais le meilleur des deux univers ; la vraie vie était dans *Les catilinaires*, et quand j'avais épuisé la patience des religieuses, je me repliais sur la rue Boyer où vivait ma mère, la ci-devant fée. Je ne la reconnaissais plus et préférais l'aimer de loin.

Avait-elle changé ? Pas tellement. Le temps passait sur elle sans l'abîmer. Physiquement, elle était encore cette femme qui remonte l'allée de la chapelle le matin de ma communion solennelle, élégante dans son nouveau costume de gabardine vert sombre. Elle est en retard parce qu'il est trop tôt le matin, elle a peut-être raté une correspondance d'autobus et surtout, elle conçoit difficilement d'arriver à l'heure à l'église. Elle a ses convictions et ses raisons.

Elle paie ma pension comme les autres parents mais aucun extra, elle tâche d'être à la hauteur des exigences de l'institution. Il faut me munir d'une literie et m'équiper de pied en cap et pour toutes les occasions. Au début, Lachine était pour elle un essai comme les autres : en cinq ans j'avais changé cinq fois d'école. Mais après une année de pensionnat, j'avais passé les vacances d'été à la supplier d'y retourner. Il y avait déjà un clivage entre nous ; elle était de la classe laborieuse et moi, une jeune demoiselle inscrite dans l'engrenage de l'instruction. Je voulais faire mon cours classique, je n'en démordais pas. À la fin de l'été, elle y avait consenti. Si elle a regretté d'avoir enclenché ce long processus, elle ne me l'a jamais fait sentir.

Elle continuait d'être la championne du travail, l'image même de l'employée débrouillarde et fiable. Après des années de précarité, elle avait droit à certains avantages sociaux et à de courtes vacances payées. Elle était secrétaire légale dans une société de fiducie de la rue Saint-Jacques.

C'est dans ce nouveau milieu qu'elle a rencontré des personnes partageant ses goûts et qui devinrent de véritables amies. Rue Laval, elle ne fréquentait que Céline et des gens du Bas-du-Fleuve établis à Montréal. Il y eut bientôt Aurore, une belle femme d'une grande distinction naturelle, Tony, Ontarienne, protestante et francophile, l'affable madame Phoenix et d'autres. Ces femmes étaient veuves, célibataires ou séparées. Vers la fin des années 1960, ma mère cessa de voir Céline, je ne sais plus pour quelle raison longtemps méditée, et cela lui coûta beaucoup. Ses autres amies, elle allait les conserver jusqu'à sa mort.

Plusieurs d'entre elles étaient anglophones. Certaines maîtrisaient le français, d'autres non. Jamais ma mère n'aurait utilisé l'anglais pour s'adresser à une autre francophone, mais elle plaçait les rapports humains au-dessus de la barrière des langues, et, avec tout individu *de bonne volonté* ignorant le français, elle passait en souplesse à l'anglais. Le métissage culturel d'Émile Nelligan ne lui avait pas échappé et lui servait de modèle. Qu'on fût Juif, Italien, Hongrois ou Polonais, si on respectait ce qu'elle était, on avait droit à sa considération. Bien avant que le multiculturalisme ne devienne un versant de la rectitude politique, elle aura été une vraie Montréalaise, profitant de tous les aspects de la ville et allant d'une communauté à l'autre sans se renier. Jeune, je ne mesurais pas la force de caractère et l'assurance tranquille que suppose une telle pratique.

Ses amies hétérogènes, venues de Warszawa, de Moose Jaw ou de Meaubeuges, lui tenaient lieu de famille ; ses deux mères étaient décédées et elle voyait rarement ses sœurs et frères, qui l'avaient suivie sur le chemin de l'exode. Seuls l'aîné et Bertrand, celui qui avait repris la ferme, demeuraient encore à Cacouna. Blanche, une fois sortie de son cloître, avait vécu quelques années à Montréal avant de s'établir à Detroit, USA. Les autres s'étaient dispersés à travers le vaste Canada jusqu'en Colombie-Britannique. Aucun n'était resté à Montréal.

Il y avait eu autrefois, quand j'étais petite, une tante Claudia chez qui nous allions le dimanche. Élégance, chuchotements, tasses de thé et biscuits secs. Une maison de femmes, quelque part sur la rue De Lorimier. Claudia était décédée et ma mère ne fréquentait plus ses filles. Elle ne voyait aucune cousine, ni germaine ni éloignée, et quand elle me parlait d'une personne qui nous était apparentée, elle oubliait la plupart du temps de mentionner qu'il s'agissait de quelqu'un de la famille.

La semaine, elle vivait donc seule avec notre chatte Musette. Je mets Musette au nombre de ses fréquentations car elle raffolait des animaux de compagnie et ses conversations avec eux semblaient plus satisfaisantes que celles qu'elle tentait d'avoir avec certains humains, notamment mon père.

Celui-ci avait complètement disparu de son existence et elle parlait rarement de lui. À l'hiver 1959, un juge les avait déclarés séparés de corps et de biens. Elle avait alors quarante-six ans. Le divorce n'existait pas au Québec et les époux qui désiraient officialiser la faillite de leur mariage demandaient aux tribunaux d'être séparés. C'était massivement des femmes qui présentaient la requête. Rome les considérait toujours mariées et tolérait qu'elles ne cohabitent plus avec l'indésirable mais ne souffrait pas qu'elles refassent leur vie ; elles devaient demeurer seules.

Devenue quasi célibataire au moment où le Québec commençait à se libérer des jougs combinés de l'Église catholique et de Duplessis, pourquoi ma mère n'a-t-elle pas cherché un homme sur lequel prendre appui ? Elle a peut-être cherché. Je ne lui ai pas connu de soupirants. Du moins ne les ai-je pas croisés ou identifiés comme tels. Et son rapport aux mâles était malaisé, à l'image des premiers hommes de sa vie et de leurs figures ambiguës. Pas plus que Mélie n'était sa mère, l'oncle Achille, chez qui elle demeurait, n'avait pu être son père. Dans les faits, il avait assumé cette fonction, mais Horace rôdait comme une promesse jamais tenue, faisant vivre tous ses enfants, sauf la Jeanne, dont il laissait la charge à son beau-frère. Celui-ci exerçait les métiers de peintre-doreur et de jardinier. Le roman familial mentionnait ensemble les deux occupations et insistait sur la splendeur des jardins et l'habileté d'Achille. *Mon oncle était doreur. C'est lui qui a fait toutes les dorures de l'église de Cacouna. Chaque fois qu'il appliquait une feuille d'or, pour que son pinceau soit bien propre, il le passait dans ses cheveux...* J'imaginais un homme à la crinière à la fois blanche et dorée, juché sur son échafaudage, et en bas, toute menue, ma mère qui le regardait avec de grands yeux. Elle décrivait toujours cette scène avec fierté et contentement. Sauf qu'elle ne pouvait pas dire : « Ce magicien de l'or et des semences, c'est mon père. » Achille n'était que son oncle par alliance et, curieusement, elle n'a jamais insisté sur le travail d'Horace à la ferme.

Pour justifier son nouveau statut de séparée, une phrase lui suffisait : *J'ai fait vivre Paul Noël pendant dix-huit ans, c'est assez.* Elle ne m'a jamais empêchée de le revoir et elle avait même une explication de son apathie : ça lui venait de son sang *indien,* de sa grand-mère la *Sauvagesse. Vois-tu,* me disait-elle, *chez les Indiens, les hommes font deux choses : la chasse et la guerre. Après, ils attendent autour du feu que la femme apporte le repas. Chez ta grand-mère Noël, ils attendent. Il n'y a plus de guerre, plus de chasse, mais ils n'ont pas l'idée d'aller travailler comme nous autres. C'est pour ça que ton père a jamais travaillé.* Il n'y avait, dans ses propos, aucun mépris des *Sauvages,* c'était un simple constat ; ils sont comme ça.

Elle avait gardé de son mariage une amertume qui affleurait parfois en maximes peu flatteuses sur les hommes – *Ils s'en tirent toujours les quatre pieds blancs !* –, mais elle appréciait son nouveau statut : libérée de la présence déprimante de mon père ou de la crainte de ses survenances, n'ayant plus à lui fournir aliments et tabac, elle pouvait s'offrir quelques douceurs. Nous avions un tourne-disque sur lequel elle écoutait ses opéras, son violon tzigane et ses chansonniers, Félix, Brassens, Ferland. Elle acheta un piano droit pour remplacer le monstre acajou de la rue Laval, mit en musique des poèmes de Nelligan et put sortir à sa guise.

Du temps de la rue Laval, elle avait fréquenté le Théâtre Club de Monique Lepage, mais surtout le célèbre Casa Loma, le club de nuit où il se passait des choses douteuses, au bord du vice et de l'interdit, rien de « culturel ». Elle allait maintenant aux concerts, organisait des pique-niques à l'île Sainte-Hélène et prenait des cours de diction au conservatoire Lasalle. Dans son cartable, des poèmes de Rosemonde Gérard, Paul Géraldy, Armand Sully Prudhomme et le sonnet d'Arvers :

Mon âme a son secret, ma vie a son mystère,
Un amour éternel en un moment conçu.
Le mal est sans espoir, aussi j'ai dû le taire
Et celle qui l'a fait n'en a jamais rien su…

Elle ne demandait pas mieux que de partager toutes ses activités avec moi, c'était là sa vie publique, ce que je voyais d'elle.

De sa vie intime, je ne savais rien et je ne sais toujours pas qui elle était en dehors de sa relation à moi. Ses chagrins, ses joies, ses désirs profonds, elle les taisait. Je ne sais pas, tellement elle était secrète, quels ont été les moments importants de sa vie. Il lui arrivait de verbaliser des émotions trop fortes qui lui échappaient en phrases brèves, mais le reste du temps, elle n'exprimait pas ses sentiments. Entre l'impudeur et le masque, elle n'a jamais trouvé d'ouverture. Dans sa famille, on entretenait des secrets, on gardait tout pour soi, surtout la tristesse et les déconvenues. Ces gens souffraient d'une incapacité chronique de communiquer leurs sentiments. Que cela fût un fléau national ou une tare familiale, ma mère en était également atteinte.

À quelques occasions au cours de mon adolescence, je tentai de forcer sa réserve. Je voulais savoir pourquoi je n'avais ni frères ni sœurs. Elle prenait alors un détour. *Si tu n'étais pas ma seule enfant, je ne pourrais pas te payer des études et t'habiller convenablement. C'est une chance que tu sois seule, crois-moi !* Je lui demandais aussi pourquoi elle avait épousé mon père, ce *zéro au sourire si fou*, comme elle le désignait parfois en parodiant un vers de Victor Hugo. Elle répondait : *Justement parce qu'il était un zéro, le plus démuni de mes prétendants. J'ai cru pouvoir en faire quelqu'un.* Comme je ne comprenais rien à ce pacte pitoyable, la conversation n'allait pas plus loin. Elle avait inscrit mon père dans le livre de son passé et d'autres préoccupations la tenaillaient, les années déboulaient, elle voyait venir la cinquantaine et le moment où elle ne pourrait plus travailler. Un jour, elle me signifia que j'étais appelée, moi aussi, à gagner ma vie. Je venais d'avoir quinze ans. Elle me dit : *Il serait temps que tu fasses ta part.* Il y avait de la raideur dans sa voix, comme une gêne de devoir aborder le sujet. Elle l'avait peut-être fait déjà d'une façon allusive, mais je n'avais pas allumé car elle ne m'assommait pas avec nos problèmes financiers. Je fus piquée au vif et me mis à travailler durant l'été. Elle dut pousser un soupir de soulagement : je n'avais pas hérité de la fainéantise de mon père.

Nous eûmes encore quelques moments de grâce culminant dans de courts voyages à Cacouna chez son frère Bertrand installé au village. Nous faisions des marches sur la route 132 et elle me racontait la vie des riches Anglais autrefois propriétaires des châteaux qui bordaient la falaise. Une fois, elle fit un détour par la rue de son enfance et nous entrâmes chez la tante Mélie où habitait encore son cousin Jean-Baptiste, avec qui elle avait été élevée et qu'elle n'aimait pas fréquenter. Les cèdres de l'allée avaient été abattus, il n'y avait plus de jardin, mais la maison était propre et bien entretenue. Aux murs du salon courait une guirlande de roses jadis dorées par l'oncle Achille.

À part ces échappées, nos contacts étaient pénibles. C'est que j'étais devenue adolescente sans le savoir ; ce mot n'entrait pas dans le vocabulaire de ma mère et je croyais que le phénomène *teenagers* sévissait uniquement aux USA. J'avais pourtant toutes les fureurs de cet âge. Je me prenais pour la Dame aux camélias et la Phèdre de Racine, je me languissais dans des questionnements sans fond et des amours impossibles. Et ma mère était probablement ménopausée. Entre deux bouffées de chaleur, il ne devait pas être facile de traîner Phèdre en pique-nique à l'île Sainte-Hélène. Ces sorties me dérangeaient dans mon désarroi.

Au fond du fond de ma noirceur se logeaient la rage de ne pouvoir contrôler mes sentiments à son égard et la culpabilité. Le terrible commandement de Dieu, le quatrième, me hantait : « Père et mère honoreras afin de vivre longuement. » Du mot père, je ne me préoccupais pas, le mien n'en était pas un. Mais ma mère ! La plus-que-mère ! La parfaite qui s'exténuait pour moi et que je n'aimais plus ! Je voyais mon inappétence envers elle s'amplifier de jour en jour et cela me dévastait. J'avais maintenant dix-huit ans.

Un après-midi d'été, je mis le cap sur l'église Saint-Jacques, tenue par les messieurs de Saint-Sulpice. Je croyais vaguement au sacrement de la confession en ce sens que j'espérais trouver chez un sulpicien une meilleure écoute que dans le confessionnal du couvent dont l'aumônier était un imbécile notoire. Dans mon cas, un psy pour jeunes aurait peut-être été utile, mais les prêtres occupaient encore tout le champ de la psyché.

Ma liste de péchés était brève. Le sulpicien me demanda si c'était vraiment tout, si je n'avais pas eu de pensées impures, de contacts avec des garçons. À ses questions libidineuses, je répondis non car j'estimais ce sujet strictement privé. « Donc, vous n'avez pas commis de péché mortel », conclut le prêtre. « Oui, dis-je, je vous l'ai dit tantôt, je n'aime pas ma mère. » Il y eut un moment de silence. D'ennui peut-être. Puis il me demanda : « Lui souhaitez-vous du mal ? Lui faites-vous du mal ? » « Non, mon père, je voudrais l'aimer ! » « Vous savez que dans toute faute mortelle, il faut non seulement matière grave mais plein consentement de la volonté… » Je savais. « Vous abandonnez-vous à votre ressentiment ? » « Non, c'est plus fort que moi ! »

« Alors, ce n'est pas un péché mortel. » Lassé de moi et du peu de matière affriolante que je lui offrais, le prêtre me congédia.

Je sortis du confessionnal en pleurant et ne remis pas les pieds dans une église pendant vingt-cinq ans.

J'ai gardé de cette dernière confession une impression d'absurde impuissance, comme une aporie : personne ne pouvait me délivrer de ma répugnance envers ma mère, personne ne voulait m'en absoudre, et j'étais condamnée à demeurer seule avec elle et ma culpabilité.

J'entrais alors en classe de philo. Comme le couvent de Lachine ne donnait pas les deux dernières années du cours classique, il nous fallut trouver une autre institution. Les pensionnats fermaient les uns après les autres ; je devins donc externe. Ma mère avait prévu le coup et déménagé dans un appartement plus vaste situé rue Lajeunesse en face d'un concessionnaire d'autos... la poétique du bazou nous serrait de près. La pièce d'en avant était un salon double. Ma mère en fit sa chambre et la mienne, qu'elle décora à la manière d'un boudoir. Entre nos deux espaces, un rideau plein-jour. Je l'entendais encore respirer dans son sommeil, mais j'avais enfin un lit à moi. Le matin, ce lit se transformait en divan ; rien n'est parfait.

Notre routine était simple, elle travaillait et faisait les achats, j'étudiais et faisais le ménage. Nous partagions repas et loisirs. Ma vie était tellement liée à la sienne que je me sentais mariée ; nous formions un couple. Dans les limites de la maison et de ses moyens financiers, elle me laissait agir à ma guise et décider de la gestion de notre quotidien. Nous mangions ce que je désirais qu'on mangeât, nous achetions les meubles selon mes goûts, elle me concédait tout, à tel point que j'avais l'impression d'être la mère et qu'elle fût mon enfant.

Il y avait une contrepartie à ces privilèges : il fallait que je sois là, c'est-à-dire avec elle. Puisque nous vivions ensemble, elle réclamait l'exclusivité. Si je restais à la maison, si je la suivais de bonne grâce dans les parcs, au concert, au conservatoire Lasalle ou chez ses amies, elle se montrait satisfaite. Or j'étais difficile à tenir en laisse.

Elle tenta de me contrôler. À coups de pactes et de promesses arrachées. Elle ne me questionnait pas sur ma vie sexuelle mais sur tout le reste et, fidèle à moi-même, j'étais franche jusqu'à la bêtise. Pourtant elle ne me croyait pas. Elle-même avait toujours une bonne réponse en réserve et, quand un sujet la contrariait, elle usait de procédés dilatoires. Si je lui demandais la permission de rentrer tard, elle aspirait une bouffée de cigarette et disait : *Qu'est-ce que tu dis, Francine ?* Je répétais ma question. Un temps. Elle fumait à nouveau et disait : *Pardon ?* Je répétais encore. Dans le délai, elle avait trouvé un argument pour dire non. Si je rouspétais, elle développait. Longuement. Combien de fois ai-je pensé : « Plutôt que de me servir un speech, donne-moi donc un bon coup de brosse à cheveux ! Ou une claque. » Elle savait que j'espérais la claque, je lui en avais fait part dans un moment de trêve, nous en avions ri, mais j'ai toujours attendu en vain cette claque libératrice : son arme était la parole.

Parallèlement à ces pointes de quasi-logorrhée, elle avait des périodes de rétention beaucoup plus longues que pendant mon enfance. Elle s'enferrait dans un silence lourd comme un chaudron de fonte où aurait mijoté son impuissance. Les rares mots qui parvenaient à soulever le couvercle du chaudron, étouffés, rauques et blancs, m'écorchaient.

Une partie de nos frictions venait du fait que nous étions deux femmes dans une maison sans hommes, où parfois l'un d'eux s'égarait. *Ils* n'étaient pas fréquentables, mais lorsqu'*ils* se manifestaient, ma mère s'ajustait à leur présence, quelque chose changeait dans son corps, sa voix, ses mouvements, et ses soupirs d'exaspération ressemblaient à des roucoulements.

Je découvrais que malgré son dédain exprimé, les hommes existaient aussi pour elle. Ils étaient grossiers, harceleurs et achalants, mais toujours elle avait su, voulu et aimé leur plaire, je le compris à une simple réflexion. Nous marchions dans la rue, elle et moi. Des ouvriers ont sifflé sur notre passage. Il m'arrivait d'être interpellée par des hommes et je ne savais jamais quelle contenance prendre. Cette fois-là, j'eus la surprise d'entendre ma mère déclarer, d'un ton d'agacement amusé : *Qu'est-ce qu'ils ont tous aujourd'hui ? Ils sont énervés !* Et de sourire d'un air coquin. Pas un seul instant elle n'a pensé qu'on sifflait pour moi. Elle avait cinquante ans alors que j'arrivais, toute fraîche, sur le marché du désir. Mais elle avait peine à croire que je ne fusse plus une enfant.

Dans mon initiation aux bonheurs du vêtement féminin, elle avait bâclé l'étape de mon intronisation au soutien-gorge. Je crois qu'elle avait été insultée – estomaquée en quelque sorte – par ma tentative d'avoir des seins, et je m'étais retrouvée avec une armature inadéquate. Elle m'avait fourni les autres sous-vêtements sans commentaires, comme des guenilles honteuses. Elle semblait ignorer les transformations biologiques dont j'étais le terrain. De la même façon qu'il n'y avait eu qu'une seule enfant chez la tante Mélie, il ne pouvait y avoir qu'une femme par maison, et ce rôle était le sien. Je demeurais donc sa fillette.

Pourtant, j'avais commencé à « fréquenter ». Mon premier petit ami, la correction incarnée, était prévenant et attentif envers elle, qui fut avec lui d'une gentillesse onctueuse. Elle détesta d'emblée le deuxième, *trop vieux pour moi et barbu, un voyou cultivé* avec qui j'allais faire l'amour, c'était fatal, elle le savait, elle l'a su avant moi. Le voyou fut poli, sans plus, il ne s'intéressait qu'à moi, c'est-à-dire à mon corps. Elle se sentit négligée. Cet homme la traitait comme une mère ! Il fut l'Antéchrist et, jusqu'à la fin de sa vie, elle lui en a voulu. « Miroir, miroir, dis-moi qui est la plus baisable. »

Je compris que dans une hypothétique lutte pour le mâle, elle n'hésiterait pas à utiliser toutes les armes de la séduction sans aucune considération morale. L'idée de devoir lui disputer mes amoureux ne me plaisait pas. Celle de l'entendre les dénigrer encore moins. Un cran venait d'être franchi dans mon détachement.

Mais plus fort que cette apparition des hommes, enfoncés comme un coin dans notre couple, il y eut mon désir de vivre ma vie plutôt que la sienne. Je m'imaginais parfois vieille fille vivant toujours avec sa mère, si bonne, et j'en frémissais.

La tension entre nous était devenue permanente car elle se trouvait, elle aussi, en plein cauchemar : l'enfant qui lui disait qu'elle était belle s'était transformée en Jos Connaissant nanti d'une paire de fesses. Vous leur donnez de l'instruction et ça vous humilie, ça lit des livres que vous ne connaissez pas, ça met vos robes, ça réplique, ça se dérobe, ça vous fuit, c'est glissant comme une anguille… Elle ne savait plus comment me prendre et, surtout, me garder. Toutes les nuits, je veillais dans la cuisine, et toutes les nuits, elle surgissait devant moi comme le spectre de Jézabel, l'œil clignotant, suant la rancœur et vomissant un flot d'imprécations. *Tu vas me faire mourir, toi et ta troupe d'exaltés ! Je t'ai attendue jusqu'à une heure du matin ! Tu me feras jamais croire que vous avez répété tout ce temps-là ! Qu'est-ce que tu brettes après les répétitions ? Tu bois encore du café, comme ton père ! Ta lumière m'empêche de dormir, j'ai besoin de dormir, je travaille demain !*

Ton metteur en scène qui se prend pour un artiste, il ira pas très loin ! Tant que tu resteras chez moi, tu te conduiras comme il faut ! T'es mineure, tu ne peux pas partir ! Tu ne partiras pas d'ici sans mon consentement ! Si tu pars, je te désavoue ! Des phrases comme ça, en substance. J'ai oublié les termes exacts.

Pas plus qu'elle, je n'aimais être contrôlée. Je la quittai avant la fin de mon cours classique. Je n'étais pas majeure.

* * *

Le départ des enfants est inscrit dans leurs premiers pas. Pourtant ma mère a considéré le mien comme son échec personnel et elle a surjoué ce passage de notre histoire.

C'est qu'elle ne souffrait pas qu'on la quitte, car très tôt la vie avait mis à l'épreuve son amour-propre. Évincée de chez ses parents, elle n'a jamais eu l'occasion de rompre avec eux et n'a pas pu leur dire, comme tout enfant devenu adulte, merci bien, papa-maman, maintenant, je me tire, je m'en vais vivre ma vie, peu importe la formule, c'est le geste qui compte et, dans ce geste, le pouvoir d'initiative. En la cédant à sa sœur Mélie, sa mère avait déjà choisi à sa place.

Il semble qu'elle ne soit pas non plus partie volontairement de chez Mélie. Quand elle décrit sa vie de demoiselle au village, elle est choyée et couvée, elle a sa chambre et un immense jardin pour jouer, elle est la seule enfant dans un univers d'adultes. Or les époux Bérubé avaient un fils, Jean-Baptiste, celui-là même qui occupe leur maison après leur mort. Mais dans les récits de ma mère, Baptiste ne compte pas, il est *vieux*.

Lors de conversations avec les filles de celui-ci, mes cousines Gaétane et Lucie, j'ai eu la surprise de découvrir l'âge des personnages en présence et la véritable identité de l'un d'entre eux. Quand Mélie insiste pour garder le bébé Jeanne, elle est déjà vieille – pour l'époque –, elle a 46 ans. Ma mère n'a jamais mentionné ce détail, qui devait lui être une évidence. Quant à son cousin, il n'est son aîné que de huit ans. Cet écart d'âge, incommensurable entre enfants, ne fait pas pour autant de Baptiste un adulte. Il y avait aussi Marianne, dont le nom était accolé à celui de Baptiste. Ensemble, ils taquinaient « Ti-Jeanne ». En l'absence des parents, ils lui donnaient à boire du vin de cerises et la faisaient monter sur la table pour chanter. J'imaginais ma mère, toute mignonne, en butte aux mauvais tours de deux grands dadais, des tortionnaires dont seule la présence de Mélie la protégeait... En fait, Marianne avait seulement six ans de plus qu'elle. Et elle n'était pas la sœur de Baptiste, comme je l'avais toujours cru, mais sa femme. Ils s'épousent vers 1929. Marianne s'installe chez Mélie et se met à pondre des bébés. Au moment où Jeanne aurait pu jouer le rôle de « fille de la maison », une autre y règne en mère reproductrice, fabriquant d'authentiques petits Bérubé, que les grands-parents gâtent ; Gaétane dort avec eux et Achille a les poches pleines de bonbons. Dans ce contexte, la présence de Jeanne est devenue inutile. Mélie et Achille lui gardent sans doute leur affection, mais ils n'ont plus le contrôle – ils sont alors dans la soixantaine – et c'est Baptiste qui commande. Ma mère éprouvait envers celui-ci un ressentiment profond, qu'elle n'a jamais expliqué autrement qu'en disant qu'il la persécutait. À dix-sept ans, elle part enseigner loin de Cacouna. Quand elle revient pour les vacances, sa chambre est occupée par la descendance Bérubé. N'ayant pas d'endroit où aller, elle se replie sur la ferme où elle passera tous ses étés jusqu'à son mariage, dix ans plus tard. On l'a, pour ainsi dire, retournée à sa famille sans lui demander son avis.

Cette deuxième expulsion aurait pu avoir l'avantage de la ressouder à ses origines. Mais il n'est pas facile de survenir dans un groupe qui s'est toujours accommodé de votre absence. Elle revint trop tard et au mauvais moment. C'est en effet au cours de ces années qu'un scandale à répétition éclate à la ferme.

Le village, resserré autour de son église et tenu en laisse par le curé Landry, était le lieu feutré de la rectitude. En contraste, la région de Rivière-des-Vases, aux confins de la paroisse, était la zone du péché, le coin perdu des entourloupettes, de la danse et de la boisson.

Ma mère a mentionné assez tôt l'existence du commerce d'alcool de son père et, graduellement, elle m'en a présenté certains détails *cocasses*, de telle sorte qu'Horace ne perdit jamais son auréole de paysan fin finaud. En fait, il fut à la fois admiré et honni par ses contemporains : plusieurs anecdotes circulèrent sur lui, et son intelligence force encore l'admiration de ceux qui l'ont connu. Mais son commerce avait beaucoup d'inconvénients, que ma mère a passés sous silence et dont elle a souffert.

Si quelques barils faisaient la joie et le désespoir des paroisses avoisinantes, le gros des stocks était destiné aux USA où sévissait la prohibition. Horace et ses fils étaient passeurs. À la barbe des agents de la Gendarmerie royale du Canada, qu'on appelait alors la « police montée », ils déchargeaient les goélettes venant des îles Saint-Pierre et Miquelon et apportaient le précieux liquide près de la frontière américaine, à Rivière-Bleue. Les pneus de leur auto étaient bourrés avec du tissu plutôt que gonflés d'air pour pouvoir continuer de rouler malgré les balles de la police… on voit le genre.

Entre la réception de la marchandise et sa livraison, il fallait la cacher. Les caches du père Horace étaient astucieuses et fantaisistes, et les voisins en connaissaient quelques-unes. Il avait dans sa cave un mini-entrepôt que la police ne trouva jamais. Cette réserve ne pouvant pas tout contenir, il disséminait le reste de son stock sur sa terre et dans les alentours. Il lui arrivait d'utiliser le terrain de l'école numéro 4, située à un demi-kilomètre de sa maison à travers champs.

L'école numéro 4 est celle que les enfants Pelletier, Marquis, Lebel, Lévesque, Grand'Maison du rang ont fréquentée. C'étaient souvent les sœurs aînées de ces enfants qui leur faisaient la classe, ma tante Fernande y a commencé sa carrière d'institutrice. Dans ses récits, ma mère n'enseigne pas à Rivière-des-Vases. Je lui ai déjà demandé pourquoi. Sa réponse a été évasive.

Elle y a bel et bien enseigné pendant quelques mois, les gens de la place s'en souviennent. Ils se souviennent aussi de la fois où les gars de la police montée ont trouvé ce qu'ils cherchaient...

Horace avait l'habitude de régaler ses clients, qui repartaient de chez lui complètement soûls. Leurs épouses déploraient cette situation et l'une d'elles ne résista pas à la tentation de suggérer aux agents de la GRC d'aller faire une incursion du côté de l'école numéro 4. Ma mère, qui y était alors en poste, connut l'humiliation d'être l'objet d'une descente de police et de voir les subterfuges de son père mis au jour sur le lieu même où elle régnait, toute-puissante. Il paraît qu'elle ne finit pas l'année.

Par la suite, elle dut composer avec d'autres événements de ce genre. Le père Horace buvait et ses fils *prenaient un coup pas mal fort.* Ils avaient l'ivresse typiquement nordique, c'est-à-dire pénible. Il y avait toujours un des garçons « parti sur la brosse ». Un soir, il tombait dans la boisson. Le lendemain n'était pas un autre jour mais la suite de sa cuite, la traversée aveugle d'un couloir hors du temps. Ça pouvait durer trois jours ou trois mois, après lesquels il revenait lentement à lui, retrouvait sa vivacité d'esprit et regrettait sa conduite... jusqu'à la prochaine fois.

Ma mère et ses sœurs avaient honte des hommes de la famille quand ils s'enivraient ; ils devenaient alors des *sujets pas intéressants.* Avaient-elles tort ou raison ? La honte ne se commande pas, on la subit. Les frères Pelletier n'étaient pas les seuls soûlons de la paroisse mais parmi les champions. Or il y avait, dans cette communauté comme partout, des gens à la langue fielleuse manquant singulièrement de charité chrétienne. Autant que ses sœurs, ma mère fut victime de leurs médisances.

À cela s'ajouta une tristesse un peu trouble. Un de ses frères aînés, le bel Hervé, mourut à vingt-six ans. Par accident. Un an plus tard, ce fut le tour du père Horace. Un autre accident. Les cancans continuaient et le commerce d'alcool continuait aussi, les survivants ayant pris la relève. Pour ma mère, qui allait sur ses vingt ans, Cacouna s'était transformé en cage.

C'est alors qu'entre en scène Paul Noël : *Cet été-là, ton père est venu au village avec une troupe de théâtre. Il était projectionniste. C'est comme ça que je l'ai rencontré.* Leur idylle tenait dans ce refrain, par lequel elle justifiait son passage d'une petite patrie hostile à la ferraille de L'Abord-à-Plouffe.

Un halo de romantisme enveloppait Paul Noël, le gars des vues, l'étranger. Et il aimait ma mère. Elle ne l'a jamais dit tel quel, mais il avait tendance à étreindre plutôt qu'à rejeter. Cela peut tenir lieu d'amour. Il avait surtout l'énorme qualité de venir d'ailleurs et d'ignorer les ragots de la place. À la fin de la tournée, ma mère partit avec lui. Elle ne pouvait pas renier des familles qui l'avaient écartée, mais elle pouvait quitter Cacouna et, du même coup, mettre fin au rejet et à la honte.

Elle avait sans doute rêvé de la grande ville et de cinéma. Paul Noël habitait en banlieue, une banlieue pauvre, avec sa famille de pauvres. Ma mère n'avait jamais vécu la pauvreté ; elle en fit l'apprentissage. Comme le couple n'avait pas les moyens de sortir, elle rentrait à la maison après son travail et les dimanches après-midi, pour se distraire, elle essayait des recettes de cuisine. Elle a dû regretter les couchers de soleil sur le fleuve et les autres douceurs d'une vie relativement aisée où la beauté avait sa place. Bien que demeurant en face de la métropole, elle était loin de tout, sans repères ni amis, plongée dans un nouveau clan qui lui apparaissait comme une horde barbare. Sa belle-mère lui témoigna de l'affection – *ta grand-mère Noël était une bonne personne, trop bonne...* –, mais elle ne devint jamais ni sa confidente ni son alliée. Son seul interlocuteur était Paul, possessif, dépendant et à peine scolarisé. Il lui a fallu neuf ans pour trouver l'énergie de le quitter. Peut-être un événement a-t-il déclenché son départ. Peut-être est-ce tout simplement la présence de sa sœur Fernande.

Celle-ci avait, du match Rodolphe/mademoiselle Caron, la même version pseudo-hilarante que ma mère, à un détail près, un ajout :

« C'était la fin de l'été, dit ma tante, j'enseignais en Ontario, je devais y retourner pour reprendre les classes. J'ai reconduit ta mère à sa petite chambre. J'étais en retard, pressée. Je l'ai laissée sur le trottoir avec ses valises et le bébé – toi. Ça faisait pitié. »

La situation de ma mère était affligeante, mais elle avait trop de fierté pour se dépeindre à moi sous l'aspect d'une chatte qui se sauve avec son chaton dans la gueule.

Elle a passé les deux années suivantes à errer d'une chambre à l'autre en état de survie. Elle n'avait aucune sécurité, ni d'emploi ni de gardiennage : familles qui vous laissent tomber ou qui sont « inadéquates », histoires de bains bouillants et de mal-bouffe. Jusqu'à sa rencontre avec la tante Aurore, fiable et fidèle.

Ce qui domine cette période de sa vie, c'est la peur. Le clan Noël l'avait retracée, mon père lui réclamait des droits de visite et mon grand-père apparaissait dans son récit comme une figure d'épouvante. *Le jour, pendant que je travaillais, le bonhomme Noël te surveillait, il avait rien que ça à faire. Il te regardait jouer, je ne sais pas s'il te parlait. Quand j'arrivais pour te chercher, il s'en allait en ricanant comme un démon. J'avais peur qu'il t'enlève.*

Peut-être se remit-elle en ménage avec mon père pour que cesse le harcèlement : demeurer avec son poursuivant est la façon la plus simple de mettre fin à la poursuite. L'année de mes cinq ans, le couple s'était reformé et vivait en chambreurs sur la rue Lorne Crescent. Puis elle loua l'appartement de la rue Laval, qu'elle put considérer comme sa maison. Elle profita d'ailleurs de ma première communion, qui coïncida avec le déménagement, pour pendre la crémaillère. À partir de ce moment, le rejet, la honte, la fuite, le piège, la fuite à nouveau, tout pouvait être effacé.

Son deuxième essai de vie commune avec mon père se révélant un deuxième échec, elle a reporté sur moi une partie de ses aspirations et, à mesure que je grandissais, elle a cru tenir une forme de réussite, elle pouvait dire : « J'ai raté mon mariage, mais pas ma fille. »

Mon départ de chez elle a dû lui rappeler les rejets qu'elle avait subis et ses propres fuites ; c'étaient les seuls modèles de séparation qu'elle connût. En la quittant, je ne m'affirmais pas, je la fuyais. Et j'emportais avec moi sa réussite.

III

SÉPARATION DE CORPS

Elle mit à exécution ses menaces de désaveu. Par l'entremise de son amie Céline, elle me présenta à signer un document stipulant qu'elle n'était plus garante des dettes que je pourrais encourir et ne répondait pas de mes vilaines actions. Elle l'avait rédigé sur du papier légal *emprunté* à l'avocat pour lequel elle travaillait. Je trouvai ce détail délectable et le texte, désopilant. Je le signai avec désinvolture. Ce document n'avait aucune valeur légale et elle le savait, mais elle avait besoin de verbaliser ce qui lui paraissait un divorce.

Lors de ma première peine d'amour, elle m'avait dit : *Je ne te comprends pas de tant pleurer, Francine. Moi, quand un garçon ne m'aimait pas, je l'aimais déjà moins.* Elle préconisait donc de rejeter qui nous rejette et m'appliquait sa médecine.

Son jugement de séparation d'avec mon père la déclarait séparée de biens et de corps, *bed and board.* Le départ d'un enfant de la maison parentale est également une séparation de corps ; entre la naissance et la mort, c'est même la plus violente. Désormais, je ne mangerais plus à sa table, sinon à l'occasion, et je découcherais systématiquement jusqu'à la fin de sa vie ou de la mienne. Elle m'avait perdue, et la rage qui la submergeait n'avait pas de commune mesure avec l'inévitable tristesse des parents qui voient partir leur enfant. Je la laissais seule. Elle l'avait toujours été, même du temps de mon père, mais maintenant, ça se voyait. C'était comme si j'eusse fabriqué sa solitude. Elle était veuve de moi, amère et blessée.

Son désordre émotif avait ses oscillations. Elle a dû me maudire et espérer mon retour, tenter de se prendre en main puis abdiquer. De mon côté, j'essayais d'agir normalement. Je lui avais laissé mes coordonnées et Céline lui donnait de mes nouvelles. Mais elle refusait la place réduite que je lui faisais désormais dans ma vie, elle se rebiffait, et sa déroute était d'autant plus grande que, non contente de ne plus l'écouter, je prenais à mon tour la parole : j'étais devenue celle-qui-raconte, je faisais du théâtre.

Ironiquement, c'est à elle que je devais cette passion. L'année de mes neuf ans, elle m'avait amenée voir *Sébastien* d'Henri Troyat monté par Le Théâtre Club, et cette œuvre avait provoqué chez moi un bouleversement des sens comparable à celui que souhaitait le cher Antonin Artaud, peut-être pas la panique mais certainement la transe. Mon engouement ne s'était pas démenti et, à défaut d'être une demi-mondaine comme la Dame aux camélias, j'étais comédienne « semi-professionnelle ». Ma carrière dura quelques années. Ma mère découpa tous les articles de journaux dans lesquels mon nom apparaissait, mais jamais elle n'est venue me voir jouer.

Un soir, pendant une représentation, je reçus un coup de fil. C'était elle, malade et menaçante : si je ne rentrais pas à la maison, elle se tuait. Nous en étions à l'entracte. Je retournai sur scène fortement adrénalisée. Le lendemain, je téléphonai à son médecin pour avoir son avis sur l'état mental de ma mère : allait-elle vraiment se suicider ? Le médecin me fit la réponse suivante : « Je ne crois pas que votre mère soit suicidaire, si elle se tue, ce sera par erreur. »

Je n'allai pas la voir.

Par la suite, ses téléphones s'espacèrent. Ces appels au secours furent sa dernière tentative pour que tout redevienne comme avant. Elle avait cessé de m'aimer. Je veux dire de s'investir dans notre relation. Pendant près de vingt ans, j'avais été sa raison de vivre, son devoir, son alibi, son précieux fardeau. C'était fini. Ne pouvant plus m'atteindre – du moins le croyant –, elle mit toute son énergie à me rayer de ses papiers.

*

Un an plus tard, je tombai sur elle dans un grand magasin du centre-ville. Elle en sortait comme j'y entrais. Elle dit : *Tiens ! Du monde qu'on a déjà connu* ! Et elle passa la porte sans hésitation, sans se retourner. J'admirai sa constance dans le reniement.

Elle m'avait mise au passé, mais moi je pensais beaucoup à elle. Sans douleur. Sans culpabilité, cette fois. En la quittant, j'avais eu l'impression de sauver ma peau, je m'étais choisie et croyais m'être affranchie d'elle. Soustraite à sa présence physique, je ne voyais plus que ses qualités. Rares étaient les conversations dans lesquelles je ne glissais pas son nom. Partout, au théâtre, à l'université, avec mes colocataires, je la citais, la plupart du temps directement : « Ma mère pense que, ma mère a toujours dit… » Or personne, à part moi, ne parlait de sa mère ! J'en étais consciente mais c'était aussi fort qu'un réflexe, je me définissais encore par rapport à elle, elle était ma bible, elle m'obsédait.

Je ne fis rien pour que cela cesse. Je lui avais faussé compagnie mais je savais qu'elle était quelque part dans la ville et ça me suffisait. Puis il y eut un début de rapprochement entre nous.

Je ne sais pas qui a pris l'initiative du premier appel, mais en 1969, elle s'est remise à me téléphoner. Chez moi. Je venais d'obtenir un diplôme de maîtrise en lettres de l'Université de Montréal et un poste d'enseignement à l'UQAM, ce qui, à ses yeux, était prestigieux. Elle me dit qu'elle allait me donner deux cents dollars. Pour ma maîtrise. Parce que j'avais réussi. J'ai reçu cette promesse comme une gifle. C'était avant qu'il eût fallu m'aider ! Quand j'en étais réduite à piquer mes tournedos et mes robes Cacharel ! Pour ne pas la vexer, j'ai pris son argent sans faire de remarque.

De part et d'autre, nous étions prudentes. Nos conversations portaient généralement sur la nouvelle culture. Nous n'étions pas toujours d'accord – elle disait *ton* Charlebois en parlant de Robert Charlebois –, mais elle ne m'engueulait plus, ne menaçait pas de se suicider, ne me faisait plus de reproches. Nous étions polies comme de nouvelles voisines qui se jaugent.

À la fin de l'année académique, je quittai Montréal pour Paris dans le but d'obtenir un doctorat. Il n'y avait alors de bons doctorats que de Paris. J'eus la surprise de la voir apparaître à l'aéroport de Dorval, bouleversée et larmoyante. Je ne comprenais pas en quoi elle était affectée ; je n'allais pas me pulvériser dans l'avion ni attraper la malaria dans les marigots d'Abidjan, je partais tout simplement en France comme les autres doctorants, parce qu'il le fallait. Et elle n'avait jamais révoqué son édit de reniement. Alors pourquoi venait-elle pleurer à Dorval ? J'emportai avec moi le mystère de sa conduite et n'y pensai plus. Je ne cherchais pas à la comprendre.

Nous échangeâmes quelques lettres. Les miennes, retrouvées dans ses affaires, sont d'un laconisme affligeant ; je m'en tenais à des lieux communs et ne lui faisais aucune confidence.

À l'hiver 1971, elle m'annonça qu'elle venait me voir. J'habitais un studio exigu, mélange de meublé et d'hôtel, dans lequel la cuisine était interdite et les visites, contrôlées. Je ne pouvais pas l'héberger. Surtout, je ne le voulais pas. J'étais paniquée à la seule idée de partager le même espace qu'elle et j'eus le goût de quitter Paris.

Mes appréhensions étaient sans fondement car elle n'avait pas l'intention de me squatter. Elle s'attendait cependant à ce que je passe du temps avec elle. Elle nous avait peut-être imaginées, la mère et la fille dans les rues de Paris, aux terrasses des cafés, découvrant ensemble une ville fantasmée. Je la voyais tous les jours mais j'étais alors intensément malheureuse, et les gens malheureux sont rarement agréables. Nos rencontres furent pénibles, et pour elle et pour moi. Bien que n'ayant aucune velléité de conquérir Paris, je me sentis copiée ; ma mère suivait mes traces comme une sœur cadette, et je n'avais rien d'un modèle, rien à lui offrir, la détresse ne se partage pas.

Ce fut notre première tentative – ratée – de nous revoir pendant plus longtemps qu'une soirée. Ce ratage allait être une constante de nos rapports ultérieurs. Des années plus tard, dans une maison de campagne, nous allions vivre une expérience analogue encore plus éprouvante.

Pendant tout son séjour, je me demandais ce que diable elle venait faire à Paris en plein hiver, au moment précis où j'y étais. Elle me l'avait pourtant écrit : elle venait me voir. Je ne comprenais pas ce qui l'agitait soudainement, six ans après notre « divorce ». J'étais forte en lettres, mais je n'avais pas encore saisi à quel point les êtres de chair sont complexes et j'acceptais mal que la même personne puisse se montrer tantôt charmante, tantôt insupportable, vouloir et ne pas vouloir, fuir et désirer être relancée.

La raison de ce qui m'apparaissait comme une poursuite intercontinentale était pourtant simple. Pour les Québécois d'alors, le voyage en Europe était une coupure. Paris-la-France-la-mère-patrie demeurait une matrice béante, la grande avaleuse qui reprenait ses enfants. Ma mère a dû penser que je n'en reviendrais jamais, à l'instar de certains artistes qui s'y étaient exilés volontairement dans les années 1950-1960 et dont elle connaissait l'histoire. Mon séjour de l'autre côté de la mer de l'oubli fut pour elle la répétition de la perte. Elle s'était crue sevrée de moi ; elle ne l'était pas. De là sa scène des adieux à Dorval. Elle venait maintenant me repêcher ou, du moins, me constater… Elle vit que j'étais fidèle à moi-même, *un gibier.*

Malgré ma mauvaise humeur, elle sut profiter de son séjour. À cinquante-huit ans, elle traversait l'Atlantique pour la première fois. Éblouie. Elle allait prendre goût aux voyages. Déjà, elle avait de nouvelles passions. Elle changeait. Mais repliée sur moi-même et tout occupée que j'étais à survivre à l'effroyable ennui qui suppurait du structuralisme alors à la mode dans les facultés de lettres, je ne le percevais pas encore.

IV

UNE DYNASTIE DE FILLES-MÈRES

C'est une fois rentrée de Paris que je mesurai l'ampleur de ces changements.

Elle m'avoua être devenue Rose-Croix. J'esquissai un demi-sourire ; je croyais la secte aussi morte que l'ordre des Templiers. Elle me détrompa. Les Rose-Croix existaient toujours et ils accomplissaient un *travail d'ouverture* vers la connaissance de soi, de l'autre, et la tolérance. On l'avait accueillie comme *soror* dans la loge de Montréal, dont le chef était une femme et le grand chef, un *imperator*.

Elle ne fit aucune tentative de prosélytisme à mon égard, me sachant *bouchée*. Mais au fil des ans, elle se laissa aller à des confidences sur ses croyances, dont la pierre d'angle semblait être la réincarnation. Elle s'était construit un syncrétisme personnel : Dieu existait toujours, Jésus-Christ était un grand initié, un sage comme le Bouddha, et les saints ne présentaient aucun intérêt à moins qu'ils eussent été des initiés avant ou après la lettre. De front, elle étudiait l'astrophysique, la minéralogie, la botanique et des phénomènes dits paranormaux. Télépathie, novæ, voyages astraux, Big Bang, périodes de glaciation, propriétés curatives du gingembre velu, lévitation, choses cachées depuis les débuts du monde, visites des Élohim, mystères de l'ancienne Égypte, rien ne résistait à sa curiosité. Qu'elle fût syncrétique à l'excès n'était qu'un épiphénomène qui ne me surprit pas car elle a toujours eu tendance à la surcharge et, avec l'âge, elle allait devenir un personnage baroque.

J'ai d'abord pensé que, face à la vieillesse menaçante, elle se réfugiait dans l'ésotérisme comme d'autres dans la bigoterie. Mais la loge rosicrucienne fut pour elle le cadre d'une véritable quête spirituelle et un lieu de partage. Elle y avait reconnu son groupe d'appartenance. Elle s'y lia d'amitié avec des femmes. Et un homme, D., qui avait à peu près mon âge. Il remplaça le fils qu'elle n'avait pas eu ou peut-être plus simplement la fille trop distante que j'étais. Elle fit des voyages en sa compagnie.

Elle s'était aussi trouvé une famille. Elle avait emménagé rue Chabot à l'étage d'un triplex dont les propriétaires, les S., occupaient le rez-de-chaussée. Elle aimait tout de cet appartement, de cette rue, du quartier. Elle avait son arbre devant son balcon et, à l'arrière, une vue sur les plantureux potagers dont les Italiens montréalais ont le secret. Les S., d'origine italienne, étaient des gens enveloppants. Ils l'adoptèrent. Elle avait sa part des fruits du jardin et sa place à leur table à toutes les fêtes. Elle a passé plus de vingt ans auprès d'eux, vu grandir leurs enfants, assisté à leurs mariages et aux baptêmes des petits-enfants. Sur le dernier versant de sa vie, elle était admise dans une authentique tribu, elle avait *ses* Italiens et parlait d'eux avec fierté. La polenta, le panettone, les dragées et le nougat firent leur entrée dans sa dépense. Elle apprit l'italien. Un peu. Pour mieux les connaître.

J'ai toujours été reconnaissante à cette famille, dont la mère, le père et les enfants étaient souriants et courtois, de lui avoir donné une chaleur qu'elle n'avait pas connue auparavant.

Quant à ses contacts avec le clan Pelletier, leur singularité se dissolvait dans le temps et l'éloignement.

Parfois un de ses frères de passage à Montréal séjournait chez elle. À son départ, elle était plus ou moins contente, plus ou moins soulagée, plus ou moins brouillée avec lui. Il y avait d'incessantes querelles dans cette famille, des jeux d'alliances et de bascule qui se faisaient et se défaisaient par correspondance. Certains rédigeaient des lettres circulaires, avec des ajouts personnels et secrets. Tous obsédés par la manie de tester, ils corrigeaient régulièrement les brouillons de leurs dernières volontés, désavantageant un tel ou une telle au profit d'un autre… jusqu'à la prochaine volte-face.

Ma mère avait aussi cet esprit. Elle écrivait surtout à ses sœurs ; beaucoup de lettres à Fernande, qui avait épousé un *Chief Justice* en poste dans le nord du Manitoba, et à Blanche, *l'hystérique de Detroit.* Elle passa une partie de sa vie à se chicaner avec celle-ci ; elles avaient toutes deux un caractère difficile et leurs épanchements viraient souvent à l'aigreur.

L'été, elle descendait à Cacouna chez Bertrand quand ses brèves vacances coïncidaient avec celles de ses alliés de l'heure.

À mon départ, elle approchait de son *retour d'âge.* La ménopause était alors un long passage que les femmes franchissaient en silence et dans le désintérêt général. Elle en sortit avec un excédent de poids et une sérénité toute nouvelle. Et la vie l'aida un peu. Elle allait troquer son personnage de travailleuse acharnée contre celui de retraitée. Mais d'abord elle devint veuve. Puis grand-mère.

À l'hiver 1973, je reçus un appel de Rodolphe-la-cour-à-scrape. J'avais oublié sa voix et pourtant je la reconnus, je pensai immédiatement à un fond de cendrier plein de mégots. Il avait des nouvelles de mon père, dont je ne m'étais pas souciée depuis dix ans. Mon père était décédé. Intestat. Il laissait un minuscule terrain dans les Basses-Laurentides. Rodolphe-la-scrape aimait beaucoup ce terrain, il en avait payé les taxes foncières, j'étais la seule héritière, bla-bla. Je dis : « On en parlera au salon funéraire. » Il n'y avait pas de salon funéraire, mon père était mort depuis six mois. Je raccrochai.

Je me trouvais dans la situation de devoir apprendre à ma mère qu'elle était veuve. Je l'invitai à manger au restaurant. Elle ne parut pas surprise. Elle dit : *Paul est mort sans nous avoir revues et il nous aimait, toutes les deux.* Elle éprouvait de la colère envers la famille Noël qui ne nous avait pas appelées à son chevet, mais aucune animosité envers mon père ; il était mort seul, au début de la soixantaine, pour s'être négligé sans doute. Une mort de pauvre. Ce soir-là, je devais aller voir une pièce de Dario Fo avec des amis. Je me sentis incapable de laisser ma mère seule avec la nouvelle périmée du décès de son mari. Je ne sais pas comment j'ai fait pour dénicher un siège libre à côté du mien, mais je l'amenai au théâtre. La représentation nous tint lieu d'office funèbre.

En une soirée, son statut social avait changé. À la sempiternelle question « Vous êtes mariée ou célibataire ? », elle pouvait maintenant répondre d'un air compassé : *Mon mari est mort.* Le mot mort a la vertu de freiner les élans inquisiteurs. Elle était veuve, c'est-à-dire libre et respectable, et elle ne manquait pas une occasion de le faire savoir. Ce statut lui convenait. Graduellement, elle se réconcilia avec le souvenir de Paul Noël et, sans en faire un saint, elle trouva le moyen de se pardonner de l'avoir épousé : c'était karmique. Lors d'une autre incarnation, elle avait contracté envers lui une dette que sa vie actuelle devait rédimer...

Et le cycle continuait... Elle lia la mort de son mari à la naissance de son petit-fils. Un an et demi sépare les deux événements, ce qui laisse amplement le temps à une âme de migrer d'un corps vers l'autre, et il était tout à fait plausible que François, mon fils, fût la réincarnation de son grand-père, ça tombait sous le sens !

Elle me fit part de son hypothèse une fois l'enfant né et réchappé. Par mesure de prudence, peut-être, elle voulait ménager mes nerfs presque aussi fragiles que ceux de sa sœur Blanche. Effectivement, je trouvai un peu étrange d'avoir été enceinte de la réincarnation de mon père. Mais je me dis que c'était excellent pour ma mère. Cette sorte de transfert qu'elle opérait l'aidait à faire son deuil et à donner une cohérence à sa vie : échec d'une relation, nouvelle épiphanie, réparation.

Devenue psychique et divinatoire, elle n'avait pas pour autant perdu son bon sens. Elle garda secrètes ses convictions réincarnatoires et, publiquement, elle se contenta d'aimer mon fils avec la candeur charmante des grands-parents.

L'enfant n'était pas tout à fait « régulier » en ce sens qu'il venait d'une union libre. Loin de considérer son statut comme une tare, elle fit sa glorieuse et informa le clan Pelletier de sa naissance. Je la soupçonne d'avoir à cette occasion abusé du téléphone. À son grand déplaisir, les informations allèrent dans tous les sens, elles furent tordues dans le Bas-du-Fleuve et lui revinrent déformées. Une langue fourchue de Cacouna avait laissé entendre que d'aucuns disaient qu'ils avaient entendu dire que la-fille-à-Jeanne – c'est moi – avait un bébé mais pas de mari. *Et alors,* aurait rétorqué ma mère, *qu'est-ce que ça change ! Et qui êtes-vous pour déblatérer aussi sottement ?* Au plus fort des escarmouches, elle brandit l'histoire d'une mienne cousine qu'elle avait hébergée pendant sa grossesse et qui, elle, n'avait pas gardé l'enfant. Et toc. Alors que nous autres, enfin moi, je l'avais voulu, attendu, désiré, souhaité, planifié, ce bébé. Et le père aussi le voulait ! Car il avait un père. Consentant, archi-consentant ! *Non, ils ne sont pas mariés, maintenant ils se passent des sparages du curé !* Et retoc. La bataille-fleuve dura quelques années. J'en écoutais le récit, amusée, pendant que l'objet du scandale, les mains dans la gouache jusqu'au menton, lui dessinait de splendides barbeaux qu'elle conservait dans un scrapbook.

Pendant ma grossesse, selon un schème classique, je m'étais rapprochée d'elle. Non pas pour avoir ses conseils sur l'aspect physiologique de la chose, mais simplement pour parler de l'enfant, sujet qui la passionnait autant que moi. C'est lors d'un de nos conciliabules qu'elle évoqua ma naissance : *Quand je me suis retrouvée sur le perron de l'hôpital avec mon bébé dans les bras, je me suis senti une immense responsabilité.* Voilà d'où lui venait la notion de précieux fardeau ! Pour elle, la maternité avait d'abord été une charge, mais elle concevait que je puisse n'y trouver que du bonheur.

Son affection pour François passait par le verbe. Je ne l'ai jamais vue le caresser ou le prendre goulûment dans ses bras comme le font certaines grands-mères, mais à mesure qu'il se transformait en être doué de parole et d'écoute, leurs rencontres se multiplièrent. Elle organisait des *activités.* Ils avaient leurs habitudes, leurs sorties, leurs rituels. C'étaient des activités de couple ; elle n'aimait pas que François soit accompagné d'un copain, cela brisait leur intimité et brouillait son discours. Et elle trouvait tout naturel d'être seule avec un enfant. Mon fils me ressemblait beaucoup, alors. Je ne sais pas si elle se rejouait consciemment mon enfance, sans le poids de l'obligation alimentaire, mais elle a reproduit avec lui le meilleur de ce qu'elle m'avait donné du temps qu'elle était fée. Elle avait le loisir de faire toutes les mômeries dont elle s'était privée avec moi car elle était entrée dans l'âge du repos.

En 1980, elle se décréta à la retraite. Elle avait alors soixante-sept ans et fourni plus que sa part. Elle avait été maîtresse d'école, serveuse, responsable du tri des vêtements dans un « valet service », commise à la pharmacie Getz puis dans une pharmacie Leduc, caissière dans une chapellerie, comptable dans un magasin de meubles, elle avait donné des cours d'anglais, occupé je ne sais quel poste au Royal Trust, elle avait été secrétaire légale, chargée de répondre aux plaintes adressées à la compagnie Tintex (en vérifiant elle-même le bien-fondé desdites plaintes), elle avait vendu des cigarettes russes et le programme de la soirée au Forum lors de la venue du Ballet du Bolchoï, vendu des corsets, des sofas, de la pub et des chaudrons en *stainless steel*, sans parler des mirifiques produits *Beauty Counselor*. J'en oublie certainement. En cinquante ans de vie laborale, elle n'avait pas touché un seul sou d'assurance-chômage et jamais bénéficié de la protection d'un syndicat.

Où avait-elle appris la comptabilité, la dactylo, l'anglais, le jargon juridique, la rhétorique de la vente ? Quelle formation avait-elle reçue ? À ces questions, elle aurait sans doute répondu que la dactylo s'apprend avec une machine à écrire et une méthode, une langue en la parlant, le métier de serveuse en servant, celui de vendeuse en vendant, et qu'elle avait complété une très solide neuvième année. Bref, elle avait appris sur le tas, l'accès à l'instruction lui ayant toujours été mesuré. L'histoire de sa très solide neuvième année est en ce sens éloquente.

Elle avait commencé son primaire à cinq ans, les religieuses la trouvant assez mûre pour l'accueillir dans leur institution. Puis elle sauta une année du cursus, de telle sorte qu'elle arriva bien avant les autres en classe terminale, la neuvième année. Pour sa tante Mélie, l'instruction n'allait pas plus loin que le couvent de Cacouna.

Ce n'était ni de la mauvaise volonté ni de la pingrerie mais les limites exactes de la société rurale d'alors. La fréquentation de l'école étant obligatoire jusqu'à seize ans, ma mère fit trois fois sa neuvième année. Elle en parlait avec dérision et sans s'apitoyer sur elle-même. Pourtant, alors qu'elle stagnait à Cacouna, elle savait que certaines jeunes filles poursuivaient des études supérieures. Dans un autre monde, en ville, chez les riches.

À dix-sept ans, n'ayant rencontré personne qui pût lui apprendre autre chose que le programme de la neuvième année, elle devint maîtresse d'école, l'urgence étant de gagner sa vie. Beaucoup plus tard, pendant mes séjours à Lachine, elle eut le loisir de prendre des cours du soir et elle obtint de l'université McGill un diplôme en traduction. Elle ne fit jamais de traduction.

Je ne sais pas si elle a été une employée conviviale et agréable pour ses collègues – je n'ai que son point de vue. Elle se définissait comme *une femme sur le marché du travail*, c'était son cadre de vie. Après avoir eu de bonnes *positions* convenablement rémunérées, ses jobs étaient de nouveau aléatoires et dures. À la fin, elle vendait de la pub pour un poste de radio qu'elle exécrait. Peu bavarde à ce sujet, elle continuait de présenter l'image d'une femme inusable. Mais dans une lettre à Blanche – que la fille de celle-ci m'a remise –, elle avoue qu'elle n'a plus l'énergie d'autrefois et qu'elle *fait du temps* pour amasser l'argent de ses vieux jours. Ça y était, elle avait suffisamment d'économies pour ne pas être à ma charge et elle quitta son statut de travailleuse sans regrets.

Ce ne fut pas l'oisiveté mais la ruée vers la connaissance. Délestée de sa serviette de vendeuse, rapide malgré son embonpoint, elle continuait de sillonner la ville en métro et de mener plusieurs activités de front : bénévolat, cours de botanique, de joaillerie, de généalogie, de haute couture et expéditions spéléologiques. Elle connut toutes les cavernes du Québec et quelques-unes d'Europe. Elle devint membre d'un club de minéralogie. Son appartement débordait de ce que j'appelais les roches-à-ma-mère et qui était, de l'avis des spécialistes, une belle collection. Sauf qu'on pouvait aussi bien trouver de ces roches sur les comptoirs de la cuisine, sur le dessus du frigidaire, dans le congélateur ou sous un dôme de forme pyramidale qui lui servait à *purifier* l'eau.

Elle mit autant d'ardeur dans ses voyages. Une fois par année, elle partait découvrir un coin du monde. Elle a sillonné l'estuaire du Saint-Laurent, la France, l'Espagne, le Portugal, Jérusalem et le nord de l'Égypte. Entre autres. Elle disait qu'elle vivait ses meilleures années, sa joie d'explorer était tangible et j'étais toujours heureuse de la reconduire à Mirabel, frémissante comme une jeune fille. Ma mère était une battante, une féroce, une sorte de vieille dame indigne ! Que j'admirais.

De toute évidence, nos tensions s'étaient relâchées. J'avais trente ans passés. Elle acceptait que je sois une femme, ne me donnait pas de conseils non sollicités et se contentait de me glisser, à l'occasion, que j'étais pâle et trop maigre. Mais cette bonne entente restait fragile et mes alliances lui compliquèrent la vie.

N., le père de mon fils, est Espagnol. Ma mère ne chercha pas à le séduire, ce ne fut pas nécessaire. Élevé dans un milieu bourgeois de l'Espagne franquiste et très tôt orphelin de père, N. savait comment se comporter dans une famille de femmes. Il était patient, courtois, et il m'accompagnait volontiers chez ma mère, qu'il aimait bien. Il la trouvait jeune, enjouée, intelligente. Il l'appelait chère Jeanne tout en la vouvoyant, et cela la ravissait.

Nous vivions, lui et moi, en union libre, une pratique courante chez les intellos de notre génération.

Mon entrée dans la vie quasi maritale eut pour conséquence de mettre ma mère face à des gens qu'elle n'aurait pas nécessairement choisi de fréquenter et qui, sur le plan fantasmatique, représentaient pour elle le clan adverse. La famille de N. lui convint car elle était presque aussi restreinte que la nôtre... et absente : un père mort, une mère vivant à Madrid et une seule sœur qu'elle ne fit que croiser.

À l'occasion de mes relevailles, cependant, elle rencontra l'autre grand-mère, doña Isabel. Venue d'Europe pour la première fois de sa vie à soixante-douze ans, celle-ci ne parlait pas l'anglais, et du français, elle ne connaissait que le mot minou. Chaque femme se tenait sur ses gardes, toisant l'autre et la parant d'intentions et d'un prestige inexistants. Un contact s'établit néanmoins entre elles et leur bonne entente atteignit son apogée lors d'une *soirée espagnole* dont il est resté une photo de ma mère coiffée de la mantille de doña Isabel. Celle-ci ne manifesta aucun désir de se déguiser en Québécoise, soit que son identité fût assez solide pour qu'elle daignât s'en contenter, soit que la nôtre fût invisible pour les yeux.

Au bout de quarante-deux jours, doña Isabel repartit pour l'Espagne et peu de temps après, ma mère reçut en cadeau un bel éventail de corne, lequel a toujours été exposé comme un trophée sur un mur de son salon. L'éventail avait été choisi et payé par N. pour chère Jeanne, mais elle ne le sut jamais. Elle serait sans doute allée voir sa vis-à-vis à Madrid au cours de ses pérégrinations si mon inconstance ne l'avait exclue brusquement de ce clan avec lequel elle commençait à sympathiser. Mon non-mariage avec N. prit fin alors que notre fils avait cinq mois.

N. retourna en Espagne et je vécus une année seule avec le bébé. Ce fut entre ma mère et moi une période d'harmonie. Elle me considérait de nouveau comme sa fille, je n'étais plus son deuxième échec, après Paul Noël. Situation qu'elle résumait un peu cyniquement dans une lettre à Blanche : *Francine s'est replacée [...] elle me demande conseil [...] elle est bien contente d'avoir une grand-mère dans le décor.* Exact. J'étais surtout contente qu'elle ne me considérât plus comme une rivale et ne cherchât plus à me contrôler.

Dans le bordel émotif où j'avais vécu après mon accouchement, elle avait su être ferme, efficace et discrète. Lorsqu'il était question de François, je pouvais toujours compter sur elle. Non pas pour m'aider concrètement à l'élever – elle n'était pas du genre qu'on sonne quand la gardienne se défile – mais pour lui parler du précieux fardeau sans que jamais elle ne critique mes méthodes d'élevage. Elle m'épargna toute phrase commençant par « Moi, à ta place... » Elle ne voulait pas ma place et, Dieu sait pourquoi, elle n'a jamais douté de mes aptitudes à la maternité.

Elle fit peu de commentaires sur ma séparation d'avec N. Elle était désolée de voir ma vie amoureuse aussi peu reluisante que la sienne ; j'avais laissé échapper un beau parti ! Mais gardé l'enfant. Je subvenais à ses besoins et l'élevais seule. Je faisais avec une joyeuse ostentation ce qu'elle-même avait fait trente ans plus tôt dans la peur, la nécessité et le dénuement. J'étais son écho mais en mieux, sa victoire. Nous ne correspondions pas au modèle de la famille traditionnelle et elle s'en fichait, nous étions *modernes* ; une dynastie de filles-mères qui se prolongeait dans un enfant. Tout se passait comme si le père de cet enfant s'étant éjecté vers l'Espagne, nous avions, elle et moi, accouché de sa descendance. Nous étions la triade indestructible.

Puis j'eus une autre liaison sérieuse. Maman n'a jamais aimé ce second compagnon, presque toujours absent de nos rencontres et avec lequel je ne vivais pas. À ses yeux, il n'existait pas, ni sa famille, et je restais une fille-mère-libre.

Trois ans après ma séparation d'avec N., je me remis en ménage avec un autre compagnon, A. B. Celui-ci avait une enfant, un père et une mère non séparés, une sœur, un beau-frère et des neveux. Il avait en outre des tantes, des oncles, des cousines et cousins qu'il avait vus assez souvent pour les reconnaître dans la rue. Une famille normale n'ayant aucune tare à camoufler et que la sœur Bibiane aurait beaucoup aimée.

Entre ce nouveau clan et ma mère, les contacts furent toujours difficiles. La mère de A. venait d'un milieu bourgeois, son père, de la classe ouvrière, mais il était architecte et le couple était *riche*. Il y avait, d'elle à eux, le fossé des classes sociales. Du temps de N., les choses se présentaient plus simplement ; vu la différence de cultures, il lui était difficile de savoir avec certitude à quelle classe appartenait sa vis-à-vis espagnole et, de toute façon, ces gens étaient d'ailleurs, donc différents. Au contraire, c'est avec une précision cruelle qu'elle pouvait mesurer la distance qui la séparait des B. :

— Qu'est-ce que vous avez fait à Québec avec les grands-parents ?

— Rien. On est allés manger.

— Ah oui ! Dans quel restaurant ?

— Au Château Frontenac.

Fidèle à moi-même, je n'allais tout de même pas lui mentir ! Ma mère n'avait rien contre le Château Frontenac, seulement ce n'était pas son ordinaire. Jusqu'à la fin de sa vie, même épuisée, elle n'osait pas prendre de taxis, elle avait l'incurable habitude d'être raisonnable. Elle n'enviait pas l'aisance des B. et jamais elle n'a béatement admiré quelqu'un pour sa seule fortune. Mais la richesse matérielle n'est pas le seul marqueur des classes sociales ; la manière de vivre, de recevoir, de donner, de s'habiller, de se divertir, de se reposer, le temps accordé aux soins du corps, les lieux et personnes fréquentés et mille détails quotidiens comptent tout autant. Ma mère savait tout ça, d'instinct. Elle savait qu'elle ignorait les usages d'un certain monde. Jamais elle ne s'est reniée, mais face aux B., elle était tendue et parfois désarçonnée.

Il lui arrivait de l'être aussi avec moi, car j'étais devenue une madame d'Outremont et, de son point de vue, j'étais riche. Elle devait se poser des questions dont la réponse n'est inscrite dans aucun livre de bienséance et que personne, du reste, n'a le mauvais goût de formuler à voix haute. Des questions du type : Quoi offrir à votre fille qu'elle n'ait pas déjà ? C'est moi qui les imagine, elle me les a toujours épargnées. Son rapport à l'argent était simple : il faut en avoir assez pour vivre, et pour en avoir, il faut travailler, chacun doit faire sa part, pas question de compter sur la famille, qu'elle soit ascendante, descendante ou collatérale. Elle n'attendait donc rien de moi, sinon mon affection, qu'elle devait disputer aux autres.

Le statut social des B. ne constituait pas sa seule source d'inquiétude. Ils avaient aussi pour eux la puissance du nombre – huit – et la force de cohésion d'un groupe. Ma mère devait, à elle seule, leur faire contrepoids et il lui fallait user d'astuces et de patience.

Les fêtes étaient un casse-tête, particulièrement celles de Noël et du jour de l'An. Il y aurait beaucoup à dire sur le sinistre temps des fêtes au cours duquel le bonheur – ou son simulacre – sont de rigueur, il me semble que seuls les nourrissons ne le redoutent pas, mais je ne veux pas prêter à ma mère mes sentiments et ressentiments, seulement dire ce que je percevais d'elle.

À Noël, les parents souhaitent que leurs enfants soient auprès d'eux plutôt que dans un club échangiste ou une autre famille. Chaque année, ma mère devait espérer voir son petit-fils et me voir à cette occasion, et moi je me sentais une obligation morale de répondre à ses attentes. Mais on ne peut pas être à la fois chez sa mère et chez sa belle-mère, tous les couples connaissent ce dilemme. Inévitablement, ma mère était sans famille à Noël ou au Jour de l'An. Elle n'a jamais fait de chantage à ce propos, mais je sentais, à son empressement à dire oui quand nous l'invitions ou réclamions d'être invités, qu'elle espérait, année après année, se trouver dans une situation « normale », c'est-à-dire entourée.

Le reste du temps, elle pouvait compter sur les anniversaires et sur certaines fêtes civiques pour nous avoir chez elle quelques heures. À la fête des Mères, je lui apportais les traditionnelles fleurs en pot qui témoignent durant des semaines que votre enfant n'est pas une sans-cœur. Elle affectionnait les lis à l'odeur entêtante. Nous la voyions aussi à Pâques – un autre lis en pot. À la Saint-Valentin, rien. Mais à l'Halloween, c'était le grand jeu. Après avoir fait la tournée de notre quartier, nous allions lui montrer nos merveilleux enfants dans leurs merveilleux costumes avec leurs citrouilles débordantes de cochonneries. Elle nous attendait avec d'autres cochonneries, un souper et de nouvelles anecdotes : péripéties de sa vie trépidante ou de celle de gens qu'elle fréquentait, comme cette femme aux multiples personnalités, à la signature et à l'accent changeants, et qui bernait tout le monde depuis quarante ans, y compris son propre fils. Une saga contemporaine.

Après le repas, invariablement je lui demandais de jouer du piano, des choses désuètes comme *Stormy Weather* ou *La complainte de la butte*. C'était pour moi la partie la plus agréable de la soirée. J'avais un sentiment de continuité avec mon enfance, je me sentais comme ces gens qui demeurent toute leur vie dans la même maison et gardent leurs repères. Assise à son piano, elle avait l'air heureuse.

Nous eûmes durant ces années de nombreux points de concordance. En fait, nous étions contentes l'une de l'autre, et la triade continuait d'exister dans son esprit. Si l'essentiel de nos contacts physiques devait passer par le corps de mon fils, nous avions en exclusivité les plaisirs de l'échange verbal. Quand nous n'étions pas en froid, je lui téléphonais pour avoir des trucs de tenue de maison, mais la plupart de mes requêtes relevaient du fonds musical : « Maman, tu peux me chanter *Le temps des cerises ?* j'ai oublié les paroles. Et l'air de *Mi chiamano Mimi,* c'est comment déjà ? Et *L'heure exquise ?* » Je la pillais sans vergogne, je pouvais user d'elle comme d'une mère, m'emplir de sa voix et de sa mémoire. Certains petits bonheurs jaillissaient à l'improviste, venus directement du passé. Chaque rencontre lui donnait l'occasion de faire une saillie. Un jour que nous marchions au centre-ville, quelqu'un lui tendit impérieusement une sébile « Pour nos orphelines, madame ! » *Je suis moi-même orpheline,* répondit-elle en souriant. Et, suave, elle passa outre. Du coup, j'en oubliai de me délester du dollar qui traînait au fond de ma poche. Elle m'épatait encore !

J'admirais aussi sa résistance aux gens de pouvoir, médecins, avocats et autres experts patentés. Elle pratiquait vis-à-vis d'eux le doute systématique et cela me réjouissait. À propos de questions d'ordre moral et politique, nos points de vue étaient comparables et nos aspirations assez proches pour nous permettre de discuter sans sombrer dans la polémique ou l'invective. Elle avait toujours détesté la politique – elle plaçait les politiciens quelques échelons plus bas que les prêtres dans sa toponymie des animaux nuisibles, mais elle avait une conscience aiguë de notre « différence » québécoise. Elle en parlait peu, c'était sans issue. Or pendant qu'elle avait été occupée à vieillir sans râler, le RIN était né, puis le PQ, et voilà que des milliers de Québécois rêvaient haut et fort d'indépendance. Elle se mit à trouver que René Lévesque et Gérald Godin avaient *beaucoup d'allure.* Godin concrétisait magnifiquement sa position face à la question nationale : affirmation de soi et ouverture aux autres communautés. Le programme du Parti québécois à ses débuts proposait un modèle de société laïque et, en même temps, une réponse à notre quête identitaire.

En plus de cet espoir partagé, elle eut quelques satisfactions à cause de moi. Elle se vanta à sa famille de l'obtention de mon doctorat. Ce qui entraîna une polémique. D'aucuns doutèrent que la fille-à-Jeanne puisse être docteure ès lettres. Leur avoir dit qu'il ne s'agissait pas d'un doctorat d'État mais simplement de troisième cycle n'aurait pas altéré leur scepticisme. De Detroit, Blanche exprima le sien. Elle-même avait entrepris des études universitaires en langue et civilisation espagnoles et, à son avis, il était impossible que j'aie décroché, si jeune, un tel diplôme. Ma mère contre-attaqua : comment oser comparer un Ph.D. d'une douteuse université du Michigan à un doctorat parisien ? Riposte de Blanche, et ainsi de suite. Celle-ci obtint un Master Degree mais ne termina jamais son Ph.D., de telle sorte que ma mère sortit victorieuse de cette guerre. Ce qu'elle y avait défendu, ce n'était pas tant un diplôme que ma compétence de travailleuse. J'enseignais dans une université et j'étais *qualifiée pour le poste.* À grande emmerdeuse, salut !

En 1983, je fis paraître un roman et me retrouvai, du jour au lendemain, auteure à la mode. Ne me soupçonnant pas ce talent de conteuse, elle s'étonna et dit : *Je ne savais pas que ma fille avait le sens de l'humour.* De deux choses l'une : ou bien elle ne m'écoutait pas beaucoup, ou bien ma verve n'était que plumitive. Peu importe, elle était flattée de mon succès.

Mais il n'est pas facile d'être la mère d'un personnage public. Il y a deux mères dans mon roman. Au premier plan, Irène Tremblée, une femme ignorante, obtuse et obèse, que sa fille n'aime pas. Au second plan, Blanche Grand'maison, belle, énergique et, de surcroît, éternelle. Ma mère me raconta que, faisant allusion au personnage d'Irène, quelque bonne âme lui avait dit : « C'est vous, Jeanne ! On vous reconnaît donc ! »

— Mais c'est de la fiction, ai-je dit, consternée. Qu'est-ce que tu as répondu ?

— J'ai répondu que j'étais Blanche Grand'maison. Elle avait tourné la fable à son avantage ! Je ne poussai pas plus avant la conversation, le terrain était glissant. Quoi qu'on en dise, le jugement des parents compte beaucoup pour un écrivain, et ma mère adhérait entièrement à mon œuvre ; je m'estimais chanceuse.

Elle accueillit le texte suivant avec ferveur. Sans l'avoir lu, elle était sûre de sa solidité. C'était une pièce de théâtre. Le soir de la première, elle arriva dans le hall toute pétillante, la perruque posée de guingois comme un chapeau – à l'époque, elle portait des perruques. Elle était d'attaque. Madame Francine Grimaldi y était également, coiffée, elle, de son éternel turban. Ma mère me raconta le lendemain comment elle avait cuisiné la chroniqueuse : *Je lui ai dit : C'est bon, hein, madame Grimaldi ? C'est très bon ! C'est ex-cel-lent !* Et elle lui avait enjoint de faire un compte rendu à la hauteur de l'excellent spectacle. J'éprouvai un furtif sentiment de compassion pour Francine Grimaldi. Puis je me dis qu'elle en avait vu d'autres et, pendant que ma mère continuait son récit, j'imaginais la scène : Noël contre

Grimaldi, perruque contre turban, bijoux clinquants de part et d'autre. Voilà qui avait dû être savoureux.

En 1987 parut un second roman. La presse fut élogieuse puis, très tard, *The Gazette* publia un texte fielleux écrit par une francophone. Sur l'entrefaite, je me présentai chez ma mère pour souper. La coupure de journal était étalée sur le porte-musique. Ma mère ne dit rien. Moi non plus. Mais je pensais à ses amies anglophones qui avaient fatalement vu l'article ; il était chapeauté de ma photo pleine page. Lors d'une conversation seule à seule, je lui dis :

— C'est pas si grave, maman, tes amies sont capables de faire la part des choses. Et elles lisent en français.

— Non. Elles lisent *The Gazette.* C'est le seul son de cloche qu'elles ont.

Je lui fis un sourire navré, nous n'y pouvions rien. Et une autre chose la tenaillait ; elle se sentait interpellée par mon roman, qu'elle trouvait *bien, très, très bien, mais difficile à avaler.* Elle ne comprenait pas pourquoi j'y avais évoqué son père Horace. Je répondis que c'était pour lui faire plaisir. Elle éclata :

— Plaisir !!! Il n'y a rien d'agréable à se voir rappeler par quelqu'un de sa propre famille une période d'humiliations ! Pourquoi t'as ressorti l'histoire de la boisson ? Est-ce que c'était vraiment nécessaire ?

— Non. C'est un clin d'œil.

Il y a, dans ce roman urbain, une percée vers le Bas-Saint-Laurent. La grand-mère Alice, née sur l'île Verte, y retourne à la fin de sa vie car son frère aîné se meurt. Depuis l'île, elle regarde la berge et y distingue la maison d'Horace Pelletier. Le passage incriminant est le suivant : « Elle coud devant la fenêtre. Achille [...] est sur le fleuve à reprendre le temps perdu ; il est allé chercher une cargaison de rhum à l'île Miquelon avec Georges Pelletier qui habite sur la terre ferme, en face. »

Trois lignes glissées dans cinq cents pages de texte. Je ne voyais pas comment cette simple allusion à une épopée dont son père était le héros pouvait bouleverser à ce point ma mère. Qu'est-ce qui l'humiliait dans ces trois lignes ?

— Mais tout ! Tout est humiliant. On a eu tout le village sur le dos pendant des années !

— Pourquoi ?

— À cause de la prison.

— La prison ?

— Ton grand-père a fait deux ans de prison.

— Ah bon.

— Ton oncle Pitou aussi a été pris.

— Ah bon.

— Il vendait des cigarettes de contrebande. C'était plus vivable à Cacouna. On a eu assez de misère à se tenir la tête droite, tes tantes et moi !

— Jamais tu m'as parlé de ça… Il fallait me le dire, maman.

Elle ne chercha pas à justifier ses omissions. Mais à l'occasion d'un autre article, dans lequel on m'interviewait, elle m'envoya une lettre de *mise au point*, commençant par *Chère enfant martyre* et traitant du pouvoir des journalistes et du rapport entre écriture et vérité. J'en appréciai la sensibilité, bien que je ne fusse pas d'accord avec toutes les assertions qu'elle contenait. Je comprenais la déconvenue de ma mère. Ce deuxième roman lui était dédié. Elle l'avait dévoré et, alors qu'elle se méfiait le moins, au tournant d'une page, la figure de son père lui était apparue, à peine travestie. Le personnage du contrebandier est une simple silhouette, mais pour qui a connu la vie à Cacouna dans les années 1930, la scène est évocatrice et les actants, identifiables, malgré une permutation des noms et quelques imprécisions acceptables dans un roman. Je marchais sur ses brisées, que j'avais crues être aussi les miennes. Bien que ne confondant pas la fiction avec la réalité, ma mère avait, à partir des trois malheureuses lignes, décrypté tout le texte comme un roman à clés : Alice est son deuxième prénom, la mort du frère aîné lui rappelait peut-être celle d'Hervé, et surtout, connaissant notre histoire familiale bien mieux que moi, elle avait reconnu dans *son* roman des choses qu'elle avait vécues et que j'ignorais encore. Mon clin d'œil lui était apparu comme une grimace.

Pour moi l'incident était clos : elle avait été blessée par sa faute, elle m'avait caché des choses et cela se retournait contre elle. D'ailleurs, une fois l'orage passé, elle me pardonna d'avoir soulevé un pan occulté de son passé et se prépara à défendre le texte face à la famille.

Jusqu'à cette conversation, je n'avais jamais douté de la véracité de ses histoires. Je ne me demandais pas pourquoi elle insistait sur certains détails, pourquoi certains vides ; je savais que tout récit est fragmentaire même s'il se donne pour complet et je ne faisais pas l'analyse des siens.

Pour étoffer le personnage d'Alice, j'étais allée à l'île Verte avec mon oncle Bertrand, le seul de mes oncles que j'aimais, mais l'idée de demander à ma mère un supplément d'informations sur sa jeunesse ne m'était pas venue. Je ne racontais pas son histoire personnelle et, de toute façon, je croyais qu'elle m'avait tout dit d'elle, de nous, de la famille, du village, car elle ne se faisait jamais prier pour reprendre ses refrains et camper des personnages périphériques : le quêteux Pierrot, le *cook* Laurent Bastide, les voleurs de navots, Ti-zyeux, mort ou en vie, prends le pieux !, Philaminte, pourquoi t'es-tu teinte ?, Jean-Marie et les moutons, ou encore le peddleur qui accompagnait l'exhibition de sa marchandise d'une longue énumération se terminant invariablement par l'envoi : « Achetez-en, achetez-en pas, ça fait pareil ! » J'avais l'impression qu'elle parlait librement car, au fil des ans, elle avait ajouté au roman familial des détails inédits réservés à l'adulte que j'étais devenue. Par exemple, le père Horace avait un élevage de renards argentés et, dans sa chambre, une peau invendue suspendue à un clou. Dans les replis de la fourrure du renard, il dissimulait un flasque de boisson. Pour parler de ses libations solitaires, il disait : « Je vais voir le p'tit renard. » Charmant euphémisme.

La ferme restait un paradis, avec quelques nuages noirâtres. Quand elle y était de passage, ma mère dormait en haut dans la chambre des filles. Le matin, elle entendait sa mère appeler les garçons pour qu'ils aillent traire les vaches. Mais elle avait d'abord été réveillée par les effluves de la friture qui montaient sous les combles ; Odélie devait nourrir une dizaine d'hommes et, dès l'aube, elle cuisinait de l'anguille – dont ma mère trouvait l'odeur insupportable – et du porc. *Les cris d'un cochon qu'on amène à la boucherie, c'est terrible, le cochon sait qu'il va mourir, il se débat et il pleure.* Je sentais là un réseau de répulsions que j'attribuais à la seule délicatesse de son odorat et à son amour des bêtes.

Elle avait aussi brodé autour du personnage de sa sœur Blanche, dont les années de cloître avaient conservé la beauté et exacerbé la coquetterie. Elle me dépeignait de courtes scènes où s'étalait le sadisme subtil des religieuses. Blanche y apparaissait en victime et son instabilité émotionnelle était une séquelle de son séjour dans un milieu malsain, irréel, au bord de la perversité.

Du côté de la tante Mélie, elle avait introduit l'histoire de la goutte de sang. Je situe mal la première occurrence de ce récit. Il revint dans le plein épanouissement de son engouement parascientifique. C'était une histoire d'avant sa naissance, proche de la chasse-galerie et des loups-garous :

Tu sais, Francine, la télépathie, ça existe. Quand la petite fille de ma tante Mélie est morte, maman était à la ferme, en train de faire du repassage. Une goutte de sang est tombée sur son fer à repasser. Elle a cru qu'elle saignait. Elle ne saignait pas, elle n'avait aucune blessure. Elle a regardé l'heure et pensé à sa sœur… Le dimanche suivant, en allant voir Mélie, elle s'est rendu compte que la goutte de sang était apparue au moment précis où la petite fille mourait.

Il est singulier que la seule histoire qu'elle m'eût racontée, reliant ses deux mères, mît en scène l'enfant qu'elle avait, en quelque sorte, remplacée, et dont elle m'avait toujours caché l'existence pour ne pas avoir à évoquer sa mort.

Ces ajouts « pour adultes seulement » avaient contribué à me donner une impression d'abondance et de complétude. Mais je savais peu de chose du passé des Pelletier, et quand ma mère me parlait de leur vie présente, nous étions loin du lyrisme des mythes fondateurs.

C'est sans fioritures qu'elle me résumait les lettres de Fernande à propos du Mouton noir, le frère que personne n'aimait et auquel on attribuait tous les mauvais coups. Lui aussi s'était exilé dans l'Ouest, où il venait d'occire un de ses congénères. Par inadvertance. Il n'était pas seul dans le méfait, le coup fatal ayant été porté lors d'une querelle de gars éméchés. Les journaux de l'Ouest relataient le crime et le procès, et ma tante et ma mère, et probablement tous les autres Pelletier, avaient honte tout leur soûl. J'avais l'impression que ma mère ne reconstruisait rien dans ses brefs comptes rendus de cette saga et qu'elle se livrait directement à moi. Mais dans les mois qui suivirent sa révélation du passé carcéral de mon grand-père, je dus admettre que, tout ce temps, elle m'avait menti par omission.

Plus jeune, j'aurais été scandalisée par cette découverte. J'attribuais alors de grands mérites à la Vérité. Mais quelle vérité ? Si les enfants ont le droit de savoir d'où ils viennent, les parents ont droit à leurs secrets. D'ailleurs, voudrait-on tout dire aux enfants qu'on n'y parviendrait pas. Il y aura toujours des choses qu'on tait – la souffrance, le manque, les échecs – et dans le roman familial de la plupart des gens de ma génération, il y a beaucoup de points de suspension.

Plusieurs décennies après les événements, ma mère était toujours incapable de parler de l'emprisonnement de son père et des beuveries de ses frères. Sur le coup, je ne compris pas les raisons de sa honte et je n'en mesurai pas la profondeur ; pour moi, la contrebande était un crime dérisoire et l'incarcération ne signifiait pas nécessairement la déchéance. Mais la honte n'a pas besoin d'être fondée pour s'abattre sur quelqu'un et commander le silence, le camouflage, le déni.

Je commençais cependant à comprendre que, malgré leur foisonnement, les récits de ma mère avaient aussi leurs blancs. Le souffle de sa parole était passé sur mon enfance comme la poudrerie qui attire l'œil par une belle journée d'hiver. Sous la neige miroitante, je soupçonnais maintenant le gel, le célèbre silence québécois, dont elle aussi était atteinte. Une partie d'elle-même demeurait enfermée dans le permafrost.

Je tentai de savoir s'il y avait autre chose qu'elle m'eût caché dans notre histoire à toutes deux. Trop timidement. Ma condition d'enfant unique m'avait toujours paru étrange, mais je n'osai pas lui demander si elle avait fait des fausses couches. À propos de la famille élargie, j'eus beau la questionner, elle s'en tenait à la version canonique et à ses refrains. Elle vivait dans le présent et préférait me parler de réflexologie. Mon innocent clin d'œil au grand-père Horace lui avait arraché un supplément d'informations, mais je ne saurais rien de plus. Du clan Pelletier et de son passé ténébreux, elle m'avait dit tout ce qu'elle avait choisi de dire.

Du reste, échanger avec elle devenait difficile. Non pour cause de divergences idéologiques, mais parce qu'elle avait le secret des phrases sans points ni virgules. Sa faconde se transformait en logorrhée, la logorrhée des personnes vivant seules qui se retrouvent soudainement devant un auditoire. Et son ouïe s'émoussait en un lent fading. Se voyant glisser vers l'exclusion de la surdité, elle adopta la stratégie de monopoliser la parole, selon sa vieille habitude, et dans toute réunion, il fallait qu'elle tînt le haut du pavé.

Une année, à Pâques, je la reçus en même temps que ma belle-famille. Nous étions à la campagne et nos agapes rustiques avaient laissé libre cours à une conversation générale, détendue, où personne en particulier n'avait brillé. Je ne sais pas ce qui s'est passé – à ma connaissance, rien d'offensant venant du clan opposé ou des enfants, occupés à déconner à leur bout de table –, mais après le repas, ma mère se réfugia dans un mutisme de béton. Elle boudait, offusquée de ne pas avoir été le point de mire.

En fait, elle était à son meilleur en compagnie d'un seul auditeur, de préférence ouvert à ses idées.

C'est pour cette raison, entre autres, qu'elle n'aimait pas vraiment A., mon compagnon. Ses récits à coloration ésotérique ne trouvaient chez lui d'autre écho que celui du rire. Il ne la courtisait pas et ne lui rendit jamais l'hommage lige qu'elle s'attendait à recevoir d'un bon gendre. Durant les premières années de ma vie avec lui, elle continua d'évoquer le souvenir de N., cet homme si agréable et si cultivé, ce morceau de choix. Un jour, exaspérée, je laissai tomber ces mots :

— Maman, il couraillait !

Ses reproches cessèrent. Mais le parallèle entre les deux hommes demeura dans son esprit. A. savait où étaient rangés le fil à coudre et la farine et surtout à quelle heure fermait la garderie de mon fils, qu'il m'aidait à élever. Cela, ma mère avait pu le constater plus d'une fois. Dans les modèles de père qu'elle avait connus, il correspondait à la grisaille des commodités quotidiennes. Elle ne projetait pas consciemment sur lui l'image de son oncle Achille, mais elle aimait les Survenants, et dans sa balance, un Espagnol absent pesait plus lourd qu'un Québécois présent. A. était à portée de voix et corvéable. *A., j'aurais une tablette à installer dans la salle de bains, c'est l'affaire d'une minute...* A-t-on déjà calculé le nombre de tablettes et autres patentes que le mâle québécois installe, répare, rafistole et gosse durant sa vie ? Je veux dire le mâle standard, celui qui n'est ni mufle ni paresseux. Ma mère avait tendance à considérer A. comme un concierge et à oublier de le remercier. Au bout de quelques années, ne supportant plus l'espèce de mépris qui chez elle occupait la place de la reconnaissance, je demandai à A. de mettre moins d'ardeur dans ses bricolages pour belle-maman.

Leur inappétence était mutuelle, je crois, mais c'est contre ma mère qu'elle se retournait ; je lui en voulais de ne pas apprécier les qualités de A.

Je lui en voulais aussi d'avoir changé. Prendre un repas chez elle était devenu une épreuve car elle s'était mise à la cuisine santé. Il y avait dans ses préparations force germe de blé, tofu, levure, caroube, sucre édulcoré, gras dégraissé, huile de lin, d'onagre, de carthame, de taratata, et autres excellentes choses aux vertus incontestables mais qui, employées comme substituts pour le beurre, les œufs et la farine, dénaturaient les plats. Quand je jurais à A. que ma mère avait déjà su faire à manger, il n'y croyait tout simplement pas, considérant la bonne cuisine de Jeanne comme un conte de mon enfance.

Notre non-concordance culinaire culmina dans un mémorable souper d'Halloween à la fois triste et loufoque. Elle avait concocté un repas à la citrouille. Je déteste la citrouille. Elle ne s'en souvenait pas. À mesure que la soirée se déroulait, notre malaise commun augmentait et la fête vira au fiasco.

En fait, chacune de nos rencontres était hasardeuse, autant pour elle que pour nous. Malgré tout le *travail psychique* qu'elle avait fait sur elle-même, elle prenait facilement la mouche et passait de la franche cordialité à la froideur. Elle avait toujours été ambivalente, à la fois lourde et légère, ombrageuse et gaie, bavarde et cachottière, mais avec le temps ses défauts avaient éclipsé ses qualités. Je ne sais pas comment elle se comportait avec les autres, il est rare qu'on vous arrête dans la rue pour vous dire combien votre mère est désagréable. Mes amis me faisaient un sourire contraint quand je leur affirmais qu'autrefois elle avait été marrante. Pourtant, je n'ai inventé ni sa verve ni sa vivacité, et j'en trouvais encore des traces qui éclairaient notre présent. Hélas, ces traces n'étaient visibles que pour moi. Et mon fils.

Depuis notre séparation de corps, le même mouvement de balancier régissait nos rapprochements et nos retraits. Chaque fois qu'il était question de la rencontrer, je rêvais que nous allions nous entendre… J'étais presque toujours déçue. Elle a dû connaître les mêmes espoirs, les mêmes désillusions. Parfois le miracle se produisait et nous étions satisfaites l'une de l'autre ; c'était la joie, le respect mutuel, la confiance et, pour un sourire de moi, elle retrouvait sa drôlerie. J'étais séduite. Je me laissais emporter. Au plus fort de la vague, toutes mes défenses étaient tombées. Alors ses sautes d'humeur recommençaient, d'abord isolées puis de plus en plus fréquentes et elle redevenait cassante. Je ne m'en apercevais pas sur le coup. Ou plutôt, par une sorte d'aveuglement volontaire, je faisais semblant de rien et me trouvais piégée à nouveau ; je me sentais manipulée, je la détestais et me détestais de l'endurer. J'éclatais et l'envoyais promener. Elle se tenait coite et ne bougeait plus. J'étais soulagée. Libre. Puis je m'inquiétais de sa santé ou tout bonnement je m'ennuyais d'elle, ou elle me téléphonait sous un mince prétexte, elle était tout miel, et le cycle recommençait : respect, rires, concorde, saillies, exigences, envahissement, explosion. Repos. Jusqu'à la prochaine fois.

Le temps bonifie certaines relations et j'ai souvent souhaité que ce fût le cas de la nôtre. Mais ma mère devenait de plus en plus susceptible et mes vieilles aversions s'accrochaient à de nouveaux détails. Son souffle court et sonore me dégoûtait au lieu de provoquer ma compassion. Ses parfums à base de patchouli m'écœuraient et je n'aimais pas sa façon de s'habiller comme une coquette de trente ans. Je crois qu'elle n'avait pas prévu vieillir. Un an avant sa mort, alors qu'elle était très marquée par la maladie, un homme nous ouvrit une porte d'hôpital en lui disant : « Passez, belle vieille madame ! » Elle me regarda d'un air navré : *« Belle vieille madame. » Jamais j'aurais cru vivre assez longtemps pour m'entendre dire ça !*

Peut-être est-il plus pénible de vieillir pour ceux qu'on appelle les anciens beaux. Le grand âge nous rassemble tous dans un même troupeau de marchettes, dans la même voussure, les mêmes tremblements, les mêmes tavelures. C'est alors qu'il est moins grave d'être née laide. Mais le devenir quand on a été belle est une déchéance. Ceux qui ressemblent encore au jeune homme, à la jeune femme qu'ils ont été, se reconnaissent sous les rides. D'autres voient leur corps et leur figure se transformer complètement, s'affaisser ou se gonfler. Ma mère était de ceux-là. La graisse avait distendu ses traits. Elle se maquillait encore, se redessinant de mémoire, mais le maquillage n'y faisait rien, on a beau peindre une statue, on n'en change pas le volume. Plutôt que de m'attendrir, les déformations qui la parasitaient me blessaient autant que son refus d'assumer son âge.

Régulièrement, je tentais de lui manifester mon affection, qui était tout aussi réelle que ma détestation. Et plus profonde.

En 1986, je lui proposai de passer une semaine avec moi à la campagne. Elle aimait la nature et a toujours souffert d'en être privée. Nous étions en mai, alors que le spectacle des fleurs sauvages et des oiseaux peut occuper quelqu'un à temps plein. Elle n'avait pas besoin de moi pour découvrir les touffes de sanguinaires et d'ancolies qui se cachaient dans les sous-bois. Elle herborisait seule. Mais quand elle revenait à la maison, sa présence me pesait. Pour la première fois depuis vingt ans, nous partagions le même espace. J'écrivais plusieurs heures par jour et quand je n'écrivais pas, je lisais ou corrigeais des copies pour l'université. J'étais donc peu causante et j'ai toujours été sauvage. Bien qu'elle fît d'énormes efforts pour être discrète, ma mère demeurait elle-même ; sonore et remuante. Dès le premier jour, elle se sentit contrainte à une règle monacale et moi, piégée. Une partie de moi jugeait chacun de ses gestes, je m'irritais de l'absence de contrôle que j'avais sur l'effet physique qu'elle me faisait, j'en étais consternée, mais, incapable d'analyser la source de mes déplaisirs, je les subissais les dents serrées. La nuit, j'étais hantée par la vanité de ma prose : j'inventais dans mes livres des personnages de mères aimantes et aimées mais je ne pouvais souffrir la mienne.

En quelques jours, la tension était devenue si forte qu'une explication éclata :

— Tu ne m'aimes pas, dit-elle. Tu m'as jamais aimée !

C'était le rythme de la scène d'Agrippine à Néron :

Vous êtes un ingrat, vous le fûtes toujours...

Comme Agrippine, ma mère énuméra une liste de forfaits. Qui se situaient tous à la période de mon adolescence. Quand elle eut fini, je lui fis remarquer qu'elle revenait sur des choses vieilles de vingt-cinq ans. Pour elle, tout était resté intact, mes torts et sa rancœur. Je lui demandai comment elle pouvait affirmer que je ne l'aimais pas. Elle répondit :

— Je le sais ! Depuis que tu as dix-sept ans, tu me détestes... tu l'as écrit à ton amie Louise.

— Tu lisais mes lettres ?

Elle haussa les épaules. Elle ne voyait pas en quoi il était si grave d'avoir ouvert les lettres d'une enfant.

J'étais scandalisée : systématiquement, elle avait violé ma correspondance ! La lettre d'amour de mes neuf ans, qu'elle avait interceptée, n'était que la première et elle savait de moi des choses qu'elle n'aurait jamais dû savoir et que j'avais même oubliées. J'éprouvai le sentiment de trahison d'autrefois. En moins d'une semaine, nous avions régressé de trente ans et nous restions chacune sur nos positions. Finalement, je dis :

— Je t'aime, maman. Je t'ai toujours aimée. Seulement, je suis incapable de vivre avec toi.

— C'est ça, conclut-elle, tu ne peux pas me supporter.

Le soleil descendait dans un ciel aussi beau que ceux des soirs précédents. Nous étions dans un printemps de carte postale. Face à face et séparées.

Le lendemain, avant la fin prévue de nos vacances, je la reconduisis à l'autobus pour Montréal. Le trajet se fit en silence. C'est un des moments les plus tristes que j'aie vécus.

* *

Nous n'avons plus jamais fait de tentative de demeurer longtemps en tête-à-tête. Nous nous sommes appelées peu après cette semaine d'enfer et nous avons parlé d'autre chose. Nous n'étions à l'aise que dans les visites brèves et les télécommunications. Le téléphone nous convenait parfaitement.

Ses appels commençaient comme toute conversation par *Comment vas-tu ?*, parfois *Qu'est-ce que tu fais de bon ?* Quelle que fût ma réponse – je pouvais lui parler de théâtre, de plomberie, de sémiologie, de syndicalisme, de ma glande thyroïde ou de body painting –, toujours elle s'exclamait : *C'est comme moi !* et elle enchaînait sur une phrase d'un quart d'heure. Au bout de ce temps, j'avais oublié le body painting ou mes problèmes de tuyauterie, elle m'avait entraînée dans son univers. Mes émissions vocales se réduisaient à quelques grognements bien placés. Elle employait rarement les marques usuelles du discours pour s'assurer de mon écoute, peu de phrases du type « Tu vois ? Me suis-tu ? » et jamais « Qu'est-ce que t'en penses ? » Mes proches ont conservé de ces séances téléphoniques l'image d'une femme qui pose délicatement le récepteur, va se servir un verre de vin, revient, fait hum, hum dans l'appareil, s'étire pour débarrasser une plante de ses feuilles mortes, puis une autre, puis toutes les plantes de la chambre, dit oui, oui, maman, t'as bien fait, pose l'appareil, va chercher un nécessaire à manucure, reprend l'appareil, fait hum, hum, et cætera. C'est une légende familiale. Pendant les discours-fleuves de ma mère, il m'arrivait, je l'avoue, de m'éloigner brièvement de l'appareil ; jamais elle ne s'en est rendu compte. Au bout d'une petite heure, je glissais : « Maman, il faut que je te laisse, j'attends une étudiante... » Elle déclarait sèchement : *Bon, je te dérange ! Tu me rappelleras quand ça fera ton affaire !* et elle raccrochait.

Ses téléphones m'agaçaient, mais pas tant que ça, et les sachant inévitables, j'en prenais souvent l'initiative. Je composais son numéro, m'allongeais dans mon lit et j'écoutais son murmure. J'avais le meilleur d'elle, sa voix abstraite de son corps. Pendant les dernières années de sa vie, il y eut ce lien qui nous tenait, le fil du téléphone. Je n'essayais pas de l'interrompre, je la laissais monologuer, pure voix se coulant dans la pénombre de ma chambre.

Plusieurs de mes amies adoraient leur mère et la voyaient souvent. D'autres, qui l'avaient perdue, m'en parlaient avec tendresse. La mienne était un personnage dont je racontais volontiers les dernières frasques, mais pas quelqu'un chez qui on passe à l'improviste pour simplement bavarder. Pas quelqu'un que j'avais le goût de serrer dans mes bras. Comme toujours, je l'admirais de loin. Nous demeurions incompatibles et j'entrevoyais notre avenir avec appréhension. Un jour, elle serait dépendante de moi. J'étais prête à « payer » pour elle, à tout lui donner, sauf ma présence continue.

Elle ne m'a jamais demandé d'argent, même d'une façon détournée. Elle avait la terrible fierté de ces paysans qui se font un point d'honneur de n'être le débiteur de personne, pas même d'une riche parente.

De mon hospitalité, il ne fut jamais question. J'aurais tellement aimé lui dire : « Viens habiter chez moi, maman ! » Mais j'étais incapable de prononcer cette phrase, je ne pouvais pas concevoir de vivre sous le même toit qu'elle. Elle aurait probablement décliné mon offre mais eu le privilège du refus. Elle ne parlait jamais de son âge et de la mort. Elle exprima clairement une seule chose : elle ne voulait pas être *enfermée avec des vieux*. Alors, comment ferions-nous quand elle serait « vieille » ? Je retournais la question dans tous les sens en me disant que nous avions le temps ; elle était encore vigoureuse et pleine de projets.

Puis vint la maladie.

V

L'OFFICE DES TÉNÈBRES

Plus jamais elle ne fut la même. Les changements s'étaient manifestés avant, par une altération de son caractère, des incidents isolés, dont j'avais minimisé l'importance.

En 1985, les S. reprirent son appartement pour y loger une de leurs filles. Ma mère était attachée au quartier, au jardin, à son balcon qui baignait dans la ramure d'un immense tilleul et surtout à cette famille qui, en douce, lui signifiait son congé. L'univers qu'elle s'était patiemment construit menaçait de s'effriter.

Elle se choisit un autre logis avec propriétaires et potager italiens sur Cartier, la rue voisine, mais son déménagement fut un drame. Elle était dépaysée dans cet appartement plus vaste que l'autre et froissée de ce que ses nouveaux propriétaires la considérassent comme une simple locataire.

Deux ans plus tard, ils vendirent l'édifice à des Chinois fraîchement immigrés, ignorant tout de la culture montréalaise et peu désireux de la connaître. Je ne sais pas si ces gens parlaient mandarin, wu, min ou gan, mais ils ne comprenaient – et ne voulaient comprendre – ni le français ni l'anglais. Ma mère avait fait des efforts pour se familiariser avec l'italien, mais le chinois arrivait un peu tard dans sa vie, à un moment où elle n'aspirait plus qu'à la paix. Au lieu de quoi, elle se trouva engagée dans une chicane de clôture dont normalement elle eût fait un récit. Or, au téléphone, sa voix me sembla grêle et ses explications, empreintes d'une émotivité démesurée. Je passai chez les Chinois et, par signes non équivoques, réglai la question. La reconnaissance de ma mère me laissa désarçonnée ; c'était celle d'un être apeuré, tout le contraire de Jeanne Pelletier. L'évidence était là, elle se faisait vieille, mais je refusais de l'admettre. J'étais convaincue qu'elle allait nous faire suer pendant vingt ans encore et mourir par erreur au seuil de la centaine. Elle avait du reste à ce sujet une formule que j'aimais bien, elle disait : *Je ne meurs pas cette année, j'ai pas le temps.*

En février 1990, elle partit pour Cuba, grasse et souriante. Elle en revint maussade.

À peine quelques mois plus tard, nous étions dans l'escalier chez elle, je la regardais monter les marches péniblement, une à une, et je réalisai qu'elle avait la silhouette d'une vieille. Le cœur me fendit. Elle était très malade. Nous revenions d'une énième consultation chez un spécialiste de la douleur. Elle retournait à son lit, qu'elle ne quittait presque plus.

Ce fut un été d'attente et de doute. Selon les médecins consultés, elle avait le zona, la variole, la syphilis des vieillards et sans doute autre chose. On l'hospitalisa. Nous savions, elle et moi, ce qu'« ils » cherchaient : un cancer. Finalement, après lui avoir fait tous les tests et ponctionné des ganglions, une oncologue à l'air revêche lui dit :

— Savez-vous ce que vous avez ?

— Non, répondit ma mère, mais je sens que vous allez me l'apprendre.

— Vous êtes atteinte de leucémie, dit la docteure. Elle avait sur le visage l'expression niaise de la première de classe qui vient de pondre une bonne réponse.

— Vous allez me soigner ? demanda ma mère.

L'oncologue lui dit que non, il n'y avait pas de traitement spécifique pour « ça », son séjour à l'hôpital était terminé. Et elle s'en fut annoncer d'autres semblables nouvelles à d'autres patients.

Ma mère reçut son congé le jour même. Sans plus d'informations. On ne me dit rien des soins à lui donner. Le lendemain, je retournai à l'hôpital pour tenter d'en savoir plus. Aucun médecin n'était disponible pour me parler mais l'infirmière en chef me reçut avec chaleur et me dit tout ce qu'elle connaissait de la leucémie des personnes âgées. Elle me confia que sa propre mère avait survécu cinq ans à ce diagnostic. Je m'accrochai à ce chiffre ; maman vivrait encore cinq ans. Je ne lui parlai pas de ma rencontre avec l'infirmière, nous ne parlions pas de « ça ». Puis un après-midi, au téléphone, elle m'avoua avoir pensé qu'on l'avait envoyée mourir chez elle. J'avais la même impression. Elle ajouta : *Je suis mal, mais pas plus qu'avant. On dirait que je ne mourrai pas tout de suite... Quand on mourra, on vous enverra des faire-part.* Je me mis à rire, de nervosité et de soulagement. L'humour reprenait le dessus, elle ne se laisserait pas couler.

Elle survivait donc, seule, souffrante et handicapée. Les prélèvements de ganglions, faits au nom de la science, lui avaient laissé un bras affaibli et partiellement bloqué ; elle n'avait plus la force d'ouvrir les conserves. Elle ne pouvait pas non plus se pencher et les choses qui tombaient au sol lui devenaient inaccessibles. Nous avions demandé l'aide des gens du CLSC*. Pour eux, le cas de ma mère n'était pas prioritaire, car elle avait une famille – moi, en l'occurrence –, « Nous prenons appui sur les familles », avait dit la responsable. Ce n'était pas de la mauvaise volonté mais, déjà, une carence de ressources. À titre de « bénéficiaire », elle avait droit à

* Centre local de services communautaires.

la visite hebdomadaire d'une infirmière et, de temps en temps, à celle d'une bénévole. L'infirmière était bien. Par contre, la plupart des bénévoles se contentaient d'exister une heure ou deux en sa présence et de lui taper sur les nerfs. Elle disait : *La bénévole est encore venue ici ne rien faire. Elle s'assoit sur le bol de toilette et me regarde essayer de prendre mon bain. Sans broncher. Sans me laver le dos. C'est humiliant de devoir prendre son bain devant une étrangère.*

En somme, elle devait compter sur moi pour tout, ses amies étant trop loin, trop âgées ou pas assez intimes pour la soigner.

Nous nous installâmes dans une routine de survie. J'allais la voir aux deux jours, je m'occupais du ménage, des achats, des repas. Et je ramassais les objets qui jonchaient le plancher. Dans ses bonnes périodes, je l'amenais faire les courses et elle considérait ces sorties comme une fête, malgré les aléas du trajet : le zona est une maladie très douloureuse, je conduis brusquement – c'est un euphémisme –, et Montréal est trouée de nids de poule, sans compter les puisards – c'est fou ce qu'il peut y avoir de puisards sur cinq cents mètres de pavé ! Ma mère ponctuait chaque soubresaut d'un *aoutche !* qui m'agaçait et me faisait pitié en même temps. Dans les magasins, elle marchait avec une canne dont elle se servait aussi pour désigner les choses et les directions, c'était comme un monstrueux index qui se levait à l'improviste, accrochant tout sur son passage. J'avais le goût de crier aux gens : « Tassez-vous, ma mère s'en vient ! »

Au retour d'une de ces expéditions, en passant devant un foyer pour vieillards, elle me déclara : *Je suis malade mais tout à fait autonome.* Je souris en pensant : « Oui, maman, t'es autonome. Mais pas moi. » Je me demandais toujours comment j'allais finir la semaine.

Heureusement, nous avions la fille de Blanche, ma cousine Michèle, venue frapper à ma porte quelques années auparavant en disant qu'elle cherchait « les femmes de la famille », ses sources québécoises. Elle ressemblait trait pour trait à la photo de notre grand-mère Odélie à dix-huit ans, elle était très jolie et je l'ai immédiatement aimée.

Par la suite, elle s'était établie à Montréal pour étudier les arts plastiques. Elle adorait ma mère, qu'elle « visitait ». À partir du moment où celle-ci fut malade, Michèle multiplia ses visites. Une fois par semaine, elle tenait compagnie à « tante Jeanne », la divertissait, lui faisait ses repas et ses courses. Ces jours-là, je pouvais reprendre mon souffle.

Malgré cette aide inespérée, je fréquentais ma mère plus que je ne l'avais jamais fait depuis mon départ. Elle parlait moins, mettant son énergie à lutter contre la douleur. Je devins bavarde. Je lui racontais à mon tour des anecdotes « de bureau », je me confiais, un peu, et elle m'écoutait sans me juger.

Je revins sur le choix de mon père comme mari. Elle me fit la même réponse qu'autrefois : elle avait eu beaucoup de cavaliers dans sa jeunesse, mais on lui avait dit que le sacrement du mariage représentait pour la femme une belle occasion de se sacrifier et qu'il fallait aller vers l'homme le plus mal pris pour le sauver. *Ton père était le pire. J'ai cru que je pourrais le transformer, je lui ai payé des cours, il les a pas suivis, il y avait rien à faire avec lui.*

L'idée que le mâle est un être à modeler traîne dans la tête de bien des femmes : les hommes seraient tous à sauver. Mais de quoi, bon Dieu ? J'avais l'impression que ma mère se repliait sur la notion de sacrifice pour éviter de reconnaître son erreur et qu'elle ne voulait pas me faire part de ses motivations réelles.

Par contre, il y avait chez elle une sorte d'urgence à me dire certaines choses. Un après-midi, nous étions sur le balcon avec des verres de limonade, il faisait doux, elle était détendue et elle m'avoua avoir eu peur non seulement de la famille Noël mais de lui, mon père :

Il était jaloux, il me surveillait tout le temps, même quand je dormais. Une nuit, rue Laval, je me suis réveillée en sursaut ; il était penché au-dessus de moi et il tenait ses mains serrées autour de mon cou comme pour m'étrangler. J'ai eu le réflexe de me jeter en bas du lit. Il a dit : « Voyons, Jeanne, c'était juste pour rire. »

Je n'osai pas lui demander s'il l'avait déjà battue. D'ailleurs, sans préambule et un peu gauchement, elle passait à une autre confidence, à propos de sa mère Odélie :

Un été, à la ferme, je portais une robe sans manches. Ça pouvait être considéré comme dévergondé, à l'époque. En me voyant, ma mère m'a giflée et elle a dit à mon père : « Tu diras à ta petite putain de s'habiller! »

À son air grave, je sentis qu'elle n'en était toujours pas revenue. Jamais elle ne m'avait parlé contre sa mère, et cette gifle, claquant comme un point final après une vie de retenue, me donnait à imaginer un écheveau de vexations et de regrets.

Au cours du même été, elle ajouta une anecdote à notre roman familial : après son départ de L'Abord-à-Plouffe, elle avait tenté de me garder avec elle en me confiant à sa logeuse, madame Paradis, pendant ses heures de travail, mais ça n'avait pas marché. Je lui demandai pourquoi. Elle prit un temps avant de me répondre, c'était là le vif de l'histoire : *Madame Paradis avait un garçon de ton âge. Figure-toi qu'elle vous a surpris ensemble... les culottes baissées. Il a fallu vous séparer et j'ai été obligée de te mettre en pension ailleurs.* Silence embarrassé. Comme si elle m'eût avoué avoir été matrone de bordel.

Elle semblait comprendre la réaction de sa logeuse et, quarante ans plus tard, elle n'était pas loin de partager son hystérie face aux agissements d'une enfant de moins de trois ans, un monstre de lubricité dont elle m'avait caché l'existence jusqu'à ce jour. J'avais été la Messaline des garderies et il avait fallu m'isoler.

Au lieu d'être égayée par mes lointains ébats, je fus consternée. Je découvrais que mes banales activités de pécheresse prépubère m'avaient éloignée, non pas d'un comparse, mais de ma mère et qu'elle m'imputait en partie la responsabilité de cette première séparation. Je ne fis pas de commentaires.

Ça, c'était les bonnes journées, celles où elle avait le loisir de se souvenir. Le reste du temps, elle ordonnait. En phrases brèves. La maladie n'améliore pas le caractère des gens, ne transforme pas complètement la nature de leurs rapports aux autres, et les cycles de nos concordes et de nos brouilles se perpétuaient. Nos replis ne pouvant plus être physiques, ils se lisaient à de minimes changements dans nos attitudes, nos paroles, nos silences.

Elle était humiliée de devoir me demander de l'aide et, en même temps, convaincue que cela lui était dû. Ses envahissements prenaient la figure de l'autoritarisme, elle devenait vite tyrannique et vindicative, mon exaspération montait d'un cran et je songeais à la laisser au milieu de sa dévastation. Mais je restais. Ses redoux, au lieu d'être marqués par la gentillesse verbeuse d'autrefois, se manifestaient par une reconnaissance d'enfant, qui me remuait ; elle était devenue une vieille petite fille fragile.

Les jours où je n'allais pas la voir, je lui téléphonais. Allongée dans la verdeur des plantes de ma chambre, je l'écoutais, la sachant étendue sur son lit près de sa fenêtre entrouverte, et j'entendais, au loin, les chants des oiseaux, qui étaient le canal ténu de ses contacts avec l'extérieur.

Au milieu de sa lente consumation, elle connut des allègements : les visites de mon fils, quelques jours à la campagne avec moi, sans frictions, les lettres de sa chère Aurore, immigrée aux USA, les appels des amies et, surtout, la présence du docteur Bember, un généraliste du CLSC en qui elle avait confiance. Il vint la voir à la maison et, jusqu'à la fin, il prit de ses nouvelles.

Mais son quotidien se résumait à attendre ma visite ou celle de Michèle.

Ainsi passa une année.

Puis arriva le terrible automne 1991.

* *

Un jour de septembre, elle me téléphone et sa voix est dure : *Ton oncle est à l'hôpital de Rivière-du-Loup. Il a le cancer des os. Va le voir !*

« Ton oncle » désigne son frère cadet Bertrand, celui qui a repris la ferme quand l'aîné s'est mis à boire et qui, dans les années 1960, est devenu membre des Alcooliques anonymes pour ne pas mourir. Il ne s'est jamais marié, il n'a pas d'enfants et je suis la seule de ses nièces et neveux qu'il connaisse vraiment. L'été, nous embarquons dans son *boat* pour faire le tour des îles qui s'égrènent de Notre-Dame-du-Portage jusqu'à Trois-Pistoles : l'île aux Lièvres, le Brandy Pot, la Petite Meule, l'île Verte, l'île aux Basques, il les connaît toutes et connaît la moindre de leurs anses, elles constituent son territoire de chasse au gibier d'eau. Nous sommes bien ensemble. Il est le père que je n'ai pas eu. Nous le savons sans jamais l'avoir dit, lui et moi… et ma mère.

En 1989, j'étais descendue à Cacouna avec elle. Nous y sommes restées assez longtemps pour qu'elle puisse revoir les lieux qu'elle aimait, aller aux jardins de Métis, manger du poisson frais et nous taquiner. C'est-à-dire que mon oncle me taquinait, je taquinais ma mère, mais entre eux, aucune plaisanterie ne passait ; ils s'entendaient mal. Considérant que la Jeanne s'immisçait dans nos affaires, Bertrand me prenait à part pour me parler. Elle essayait de ne pas paraître blessée, mais il y avait quelque chose de triste dans leur relation. Elle ne le détestait pas, bien au contraire, et je crois qu'elle l'aurait aimé davantage si lui-même l'avait aimée. Il la trouvait « dure à toffer ». Ils étaient comme des parents divorcés qui restent courtois à cause de leur enfant. Pendant ces quelques jours en leur compagnie, j'avais été heureuse. Ni ma mère ni Bertrand n'avaient montré de signes d'épuisement ; ils mangeaient bien, ne faisaient pas de sieste et parlaient beaucoup. Ils semblaient increvables.

Et maintenant ils approchaient de la fin tous les deux. Bertrand avait tenté de me rejoindre et j'étais introuvable…

C'est que j'avais déménagé. Au cours de l'été, je m'étais séparée de A. et ma vie ressemblait à la piaule bancale où je campais avec mon fils. Je n'étais pas allée voir Bertrand cet été-là, je ne lui avais pas téléphoné. Ma mère eut de ses nouvelles par un ami et elle lui téléphona. Il demanda où j'étais.

J'étais à Sherbrooke chez les parents de A. Son père était mourant et, bien que « séparée », je l'accompagnais dans sa famille. L'agonie fut longue et je fis plusieurs allers-retours Sherbrooke-Montréal pour mon travail et pour voir ma mère. Je téléphonai à mon oncle. Il avait la voix embrumée. Il me dit :

— Tu sais, la p'tite, je fais pas mal dur. Vas-tu venir me voir ?

Je lui répondis que j'arrivais, et j'allai à l'enterrement de mon beau-père. Après le repas de funérailles, chez les B., le téléphone sonna. C'était ma mère. Qui m'invectivait. Elle ne voyait pas ce que je faisais dans une famille que j'étais en train de quitter, alors que mon oncle déclinait de jour en jour. Elle cria : *C'est avec lui que tu devrais être ! Pas à Sherbrooke.*

Je partis pour Cacouna quelques jours plus tard. Avec la tante Fernande, arrivée entre-temps de l'Ouest... et ma mère. Vu la nature de ses rapports avec Bertrand et son état de santé, je ne comprenais pas pourquoi celle-ci tenait tant à être du voyage et je me demandais comment j'allais la supporter ; elle était dans une phase d'intolérance et considérait que son statut de grande malade lui donnait tous les droits.

Le premier soir, nous dormîmes dans un motel car nous craignions que la maison d'un célibataire en phase terminale n'eût rien d'accueillant.

Le lendemain matin, je me querellai avec ma mère à propos de son déjeuner que je n'étais pas allée chercher assez tôt à son goût.

Nous passâmes la journée auprès de mon oncle. Fernande, qui avait l'assurance d'une infirmière, réussit à faire rire Bertrand. Ma mère se tint à l'écart dans une attitude compassée. Elle était souffrante et mal à l'aise, et sa tristesse la rendait intraitable. Le soir, les visiteurs commencèrent à arriver, ils nous saluaient avec chaleur et, dans le brouhaha, ma mère n'avait qu'une idée en tête, que je ramasse son foulard tombé sur le plancher. Je la trouvai dérisoire.

Elle m'apparaissait d'ailleurs sous un jour différent. Pour la première fois, j'étais impliquée, adulte, dans un temps fort de notre roman familial et elle n'était plus la seule récitante ; Fernande allait prendre la parole, et d'autres par la suite, et les révélations allaient se succéder.

Cela commença le deuxième soir au souper. Nous voulions, ma tante et moi, manger dans un bon restaurant et prendre un apéro, ce que ma mère trouva indécent. Pendant le repas, elle et Fernande se mirent à évoquer le passé, leur enfance, leurs parents. J'ai noté le dialogue suivant dans mon journal :

Fernande : Papa était dur. Pour lui, les femmes devaient être belles et les hommes, forts.

Moi : Il était macho ?

Fernande : Il encourageait les enfants à être durs.

Maman : Je n'ai jamais parlé contre mon père à Francine.

Fernande : Eh bien, je crois qu'il faut dire les choses. Maman était bonne, elle cherchait toujours à nous réconcilier, mais papa était rude. Toi, Jeanne, tu le mets sur un piédestal. À jeun, il était drôle, mais dès qu'il avait pris un coup, il perdait le contrôle.

Moi : Il battait ma grand-mère ?

Fernande : Non, je ne crois pas, il n'a jamais osé. Mais il se reprenait sur les enfants, il lui est arrivé de nous battre…

Maman : Pas les filles ! Peut-être les garçons, une ou deux fois, mais pas les filles.

Fernande : Tu n'étais pas là tout le temps ! Je me souviens quand il a lancé à Marthe un quartier de veau par la tête, ils étaient dans la cave, on entendait tout. Pourtant, Marthe était patiente.

Moi : Un quartier de veau !

Fernande : Et moi, j'avais peur de lui. Un jour, j'avais sept ou huit ans, il voulait que je fasse monter les chevaux dans le fenil, il criait après moi parce que ça allait pas assez vite à son goût et il m'a frappée. Il avait de belles qualités mais il était violent.

Ma tante s'était exprimée d'un ton serein, sans rancœur, et je ne doutai pas de sa parole. Pourquoi aurait-elle inventé ? Il n'est pas intéressant d'avouer qu'on a été battue par son père, sinon pour attirer la pitié, et ce n'était pas son genre. Quant à ma mère, elle fulminait ; il était clair que les propos de sa sœur ne lui révélaient rien.

Le lendemain, elle resta alitée et je me trouvai en tête-à-tête avec ma tante pour la première fois depuis vingt-cinq ans. À brûle-pourpoint, dans l'ascenseur de l'hôpital, elle me souffla :

— Dis-moi, Francine, c'est vrai que X a déjà essayé de te violer ?

La lettre X remplace ici le nom d'un de mes oncles, pas Bertrand, bien entendu. J'eus l'impression que le cœur allait me sortir par la bouche, mais c'était seulement l'effet de la rapidité de l'ascenseur. Je dis :

— Comment le savez-vous ? Il vous l'a dit ?

— Non. C'est ta mère qui l'a raconté à toute la famille...

Nous étions rendues à la chambre de Bertrand et la conversation prit fin.

Au retour de l'hôpital, je saluai froidement ma mère ; j'étais sidérée car j'avais toujours cru qu'elle ne savait rien de la tentative de X. Je mis ma sidération de côté, l'état de mon oncle et la venue du reste de la famille ne me laissant pas le temps de revenir sur le passé.

Le soir même, la tante Blanche arriva. Petite, juchée sur de vertigineux talons aiguilles, vêtue d'un très beau costume cintré, soigneusement maquillée, et très ridée. La beauté de ses traits était encore évidente. À la suite d'un accident d'auto, quelque chose s'était déréglé dans son cerveau, et passé un certain enchaînement de propositions tout à fait logiques, sa pensée revenait sur elle-même et il y avait des ratés dans ses phrases.

Nous avions investi la maison de Bertrand, que Fernande avait nettoyée. Ma mère dormait en bas dans une chambre attenante au salon, ma tante et moi, à l'étage. Blanche prit la chambre en face de celle de Fernande. Et la nuit se passa sans histoires.

Très tôt le lendemain, le téléphone se mit à « faire du feu », comme on disait dans la famille ; les gens voulaient avoir des nouvelles de Bertrand. Le seul appareil de la maison était dans le salon. À chaque sonnerie, Blanche et ma mère se précipitaient pour répondre, ma mère trottant laborieusement, Blanche dévalant l'escalier sur ses hauts talons. Elle l'emportait généralement sur ma mère et claironnait dans l'appareil : « Résidence Pelletier! Ici Blanche Pelletier ! » Sa voix était mélodieuse et son accent, totalement refabriqué, était pointu mais délicieux. Pathétique de fierté naïve, elle disait Blanche Pelletier comme une actrice eût proclamé : « Je suis Blanche Dubois, la vie m'a traversée mais je me tiens encore debout sur mes aiguilles. » J'étais moi-même traversée par son évident désir de durer, de s'afficher, et l'ampleur magnifique de cette voix.

Vers la fin de l'après-midi, l'oncle Lucien arriva à l'hôpital. Un homme imposant, très grand. Et gros. Je ne le reconnus pas. Il avait une belle voix grave et conservé toute la chaleur de son accent d'origine.

Au repas du soir, il installa devant lui une panoplie de vials. Il devait prendre tous ces remèdes à cause de ses diverses maladies. Il n'avait pas le droit de conduire son auto, et il avait fait la route seul, d'un trait, depuis Ottawa où il habitait.

Le lendemain, il me sembla qu'il y avait dans l'air une tension que j'attribuai à l'imminence de la mort de Bertrand. Comme son état demeurait stable, je retournai à Montréal où mes étudiants m'attendaient. Le surlendemain, Fernande me téléphona pour se vider le cœur : à la résidence Pelletier, il y avait eu du grabuge.

Cela avait commencé en fin d'après-midi par un vulgaire problème de plomberie, la chasse d'eau de la toilette coulait sans arrêt et la cuvette était bouchée. Impossible de savoir qui, de Lucien, de Jeanne ou de Blanche, y avait échappé quoi. La salle de bains était inondée et ma tante, dans l'attente d'un plombier, avait passé quelques heures à écoper, heures pendant lesquelles une querelle avait éclaté entre Blanche et Lucien. Celui-ci avait posé à sa sœur une question tout innocente sur son fils. Blanche, se croyant attaquée, avait riposté par une petite perfidie ; elle lui avait rappelé qu'il n'était qu'un simple ouvrier. Que pouvait-il comprendre à la maladie de son fils et comment pouvait-il prétendre discuter avec elle qui détenait un Master Degree ? Lucien avait été blessé à son tour. Cris et injures sur fond de chasse d'eau. Lucien était allé chercher une bouteille de brandy et des moules « pour faire la paix ». Blanche avait préparé les moules et bu le brandy, mais elle avait continué de narguer Lucien et de le tourner en dérision. Tout ce temps, Fernande faisait la navette entre la salle de bains et la cuisine, terrain des hostilités. À un moment x de la soirée, le plombier était passé, le bruit de la cascade s'était tu et le combat avait été suspendu, le temps d'engouffrer les moules et le reste du Brandy. Mais il n'avait pas vraiment cessé. Au début de la nuit, Lucien avait frappé dans la porte de la chambre de Blanche, histoire de continuer la discussion. Pour parer cette contre-attaque, celle-ci s'était munie d'un couteau de cuisine. La porte de sa chambre a cédé, le couteau est passé de ses mains à celles de Lucien, elle est parvenue à se réfugier en face, chez Fernande, les deux femmes se sont barricadées, et Fernande a longtemps parlementé avec Lucien. Finalement, il s'était éloigné, s'en était pris aux meubles et aux objets du salon puis il était sorti dans la nuit. De crainte qu'il ne revienne,

Blanche était restée dans le lit de Fernande jusqu'à l'aube, tremblante et délirante.

Ce compte rendu me fut fait d'un trait et en détail ; ma tante pouvait parler à son aise, elle m'appelait depuis l'Auberge de La Pointe de Rivière-du-Loup, autrefois associée au plaisir et à la légèreté. Elle m'avait prise pour confidente, ne voulant pas raconter les exploits de sa famille à son époux le juge. Elle n'avait pas revu Lucien mais entendu dire qu'il avait loué une chambre dans un motel, tout près.

Ma mère n'est pas dans ce récit. « Elle avait peur », me dit Fernande. Je l'imaginai retranchée dans sa chambre, se concentrant pour endiguer les vibrations négatives des belligérants, voire les neutraliser. Quant à Lucien, nous apprîmes par la suite que la nuit de la querelle, il s'était réfugié chez un ami de la famille.

Ma tante espérait que la nuit à venir serait plus calme. Elle le fut. Et le jour suivant aussi. Elles ne revirent pas Lucien.

Le vendredi, ma présence à l'université n'étant plus requise, je pus enfin retourner à Cacouna. J'avais laissé mon auto à Fernande et je fis le voyage avec ma cousine Michèle. Nous allâmes directement au village sans passer par l'hôpital ; il était tard, près de minuit. À notre arrivée, toutes les lumières de la maison sont allumées. Nous ne sommes pas encore sorties de l'auto que nous voyons apparaître sur la galerie Fernande, Blanche et Jeanne, habillées de pied en cap et maquillées. Dans la lumière des phares, Fernande a l'air aussi vieille que ses sœurs. Elles sont trois vieilles, et la même expression de tristesse étonnée se lit sur leurs traits : leur frère est mort. Pas Bertrand, Lucien.

Dans la cuisine, elles nous racontent le peu qu'elles savent des dernières heures de Lucien. Cet après-midi, on a trouvé son corps dans un motel de Rivière-du-Loup.

Sa voiture débordait de kleenex mouillés, il avait passé les deux derniers jours à pleurer. Il allait voir Bertrand en cachette quand aucune d'elles n'était à l'hôpital. « Il est mort de chagrin », dit Fernande. Mais le chagrin n'étant pas une cause reconnue de décès, sur sa fiche, le médecin a écrit infarctus du myocarde.

Les voix s'éteignent lentement... Les trois sœurs vont se reposer et Michèle sort marcher dans le vent de la grève.

Bertrand mourut au petit matin.

* *

Au cours des jours suivants, j'eus peu de contacts avec ma mère et mes tantes, car en tant qu'exécutrice testamentaire, je dus m'occuper des funérailles. La famille de Lucien vint chercher son corps pour l'inhumer à Ottawa alors que j'étais absente et j'eus à peine connaissance des intrigues, prises de bec et réconciliations qui advinrent à la résidence Pelletier.

Je me souviens cependant d'un soir particulier, au retour du salon funéraire, un soir d'accalmie et de quasi-tendresse. Nous nous étions attardées dans la vaste cuisine à boire et à parler de choses et d'autres, de notre famille, du passé. Michèle et moi posions les questions, les aînées nous répondaient.

Maman nous assomma d'un discours sur son droit d'aînesse. Elle était l'aînée des survivants, son frère Gérard étant décédé en 1991, mais, symboliquement, Bertrand avait tenu ce rôle depuis des années. Avec sa mort, ma mère devenait l'aînée sans conteste. Elle se sentait une vague responsabilité envers les autres, peut-être celle d'être la mémoire du clan. Dans son esprit, l'aînesse lui conférait aussi le pouvoir d'être *respectée*, c'est-à-dire écoutée et obéie prestement. Une sorte d'aigreur passait dans sa voix, trahissant son chagrin et son angoisse face à la fin ; sa présence à Cacouna et celle de ses sœurs avaient un air de dernière Cène. Dorénavant, plus personne de la famille immédiate ne reviendrait au village. Elle savait qu'elle n'y reviendrait plus jamais et qu'elle voyait pour la dernière fois les lieux de son enfance. C'était aussi pour cette raison qu'elle avait fait cet impensable voyage, mais elle n'en dit rien, choisissant de s'exprimer en images, menaces et paraboles, et je ne le compris que beaucoup plus tard... Elle finit par se taire, sa parole s'épuisant d'elle-même, et le dialogue reprit avec, parfois, des éclats de rire, car nous sommes des Pelletier.

Le matin de l'enterrement, l'agitation atteignit son paroxysme. Nous étions sept dans la maison, A. et mon fils étant arrivés la veille. Les femmes se trouvaient dans des degrés divers d'avancement de leur toilette ; j'étais encore en robe de chambre alors que la tante Blanche, maquillée jusqu'au bout des ongles, monologuait, assise à un bout de la table. Comme il avait toujours été d'usage chez Bertrand, la maison était ouverte à tous et les gens passaient nous saluer ; ils s'assoyaient un moment dans une berceuse puis repartaient, ce qui faisait beaucoup de va-et-vient. Le chat de Bertrand, un siamois appelé Pit, avait l'habitude de donner un coup de patte sur la clenche de la porte pour indiquer son désir de sortir. Comme tous les chats, Pit était travaillé par la question des seuils et de tout ce qui est liminaire : quel côté de la porte sera le meilleur, le dedans ou le dehors ? Il tapait sur la clenche, quelqu'un lui ouvrait, il passait le seuil... et le repassait avec chaque visiteur. Or ma mère avait décidé de le prendre chez elle et elle rentrait à Montréal immédiatement après la cérémonie, avec A. Nous avions convenu que le sympathique animal, jusqu'alors sédentaire, serait « drogué » pour le voyage.

Mais elle réalisa qu'elle n'avait ni nourriture à chat ni litière : c'était un drame.

— Ne vous en faites pas, dit A., je m'en charge.

— Oui, mais quand ? dit ma mère.

— Quand on en aura besoin, Jeanne.

— Ça presse, dit ma mère.

— Oui, Jeanne, dit A.

Ils devaient crier pour s'entendre car la tante Blanche réclamait à voix vibrante qu'on lui ouvrît une boîte de sardines salées dont elle voulait emporter une partie à Detroit. Elle aussi partait le jour même. Sa fille ne savait pas ce qu'étaient des sardines salées. Mon fils non plus. A. dialoguait avec Jeanne. Fernande et moi étions occupées à faire des réponses approximativement sensées à la visite. La requête de Blanche revenait en boucle, faisant un croisement cacophonique avec celle de ma mère et les autres conversations. Le ton avait monté de plusieurs décibels et la scène me fut décrite plus tard par mon fils comme étant surréaliste. Au plus fort du concert, j'entendis ma cousine crier : *Where is that damned can of fish* ? et, quelques minutes plus tard, je la vis ouvrir un énorme contenant en s'aidant d'un pied-de-biche et de son mignon pied chaussé d'un bottillon noir. Elle posa devant sa mère la boîte ouverte. Blanche ôta une strate de sel brillant : apparurent, sur un autre lit de sel, de belles sardines bleues, luisantes et fraîches. Blanche dit : « Merci, ma fille. » Ses i étaient légers. A., qui s'était éclipsé entre-temps, revint avec un sac de litière et des conserves, qu'il déposa aux pieds de ma mère. La tension baissa. Fernande et moi avions réussi à nous mettre quelque chose de décent sur le dos et un peu de rouge sur la figure. Nous partîmes.

À l'église, les femmes Pelletier se comportèrent en dames du monde. Nous étions bien droites et calmes sur notre banc trop raide. Les plus droites, la tête haute pendant un prêche approximatif, furent Blanche... et ma mère.

* *

Après avoir fermé la maison de Bertrand, je revins à Montréal avec mon chagrin et de quoi m'occuper l'esprit. Sans que je l'eusse sollicité, quelqu'un m'avait dit « toute la vérité » sur le commerce du Miquelon.

Ces pseudo-secrets m'avaient été révélés lors du repas de funérailles dans le local un peu sinistre du centre communautaire de Cacouna. Un individu m'avait abordée, se présentant comme celui-qui-sait, et, manifestement, il brûlait de partager son savoir avec moi. Il s'était mis à déblatérer, non pas sur Bertrand, mais sur le « défunt » Hervé, mort en 1937. Je ne savais rien d'Hervé. J'associais son nom à la chanson *Partons, la mer est belle,* que ma mère détestait au point d'en trembler et qu'elle avait toujours refusé de jouer... à cause d'Hervé. J'en avais déduit que l'oncle Hervé était mort en pêchant en haute mer. L'homme m'accabla de tous les détails de l'accident. Hervé n'était pas mort à la pêche mais en négociant du Miquelon. Fin soûl, il s'était battu avec un gars, était tombé du quai et s'était noyé... mais aussi, les garde-côtes, qui le surveillaient depuis longtemps, l'avaient dénoncé et la police montée l'avait abattu de plusieurs balles... cela se passait à Cacouna sur un quai de fortune et à l'île Miquelon, tous ces avatars à la fois, l'histoire était multiple et sinueuse et reliée à celle d'Horace. « Ton grand-père est mort à cause de la boisson, lui aussi ! » Ah bon. Ma mère avait toujours dit que Hervé était mort en mer et son père, d'un accident de travail.

La mort du père Horace était encore plus bête que celle de son fils. Pour aller pêcher à la fascine sur les battures, Horace chaussait de longues cuissardes, bien commodes. Il avait l'habitude de glisser dans une de ses bottes un flasque de Miquelon. Alors que la marée montait, couvrant rapidement la batture, il était tombé, le flasque s'était brisé sous son poids et lui avait entaillé le genou. Pas question de s'arrêter pour si peu, la mer n'attendait pas, il fallait lui prendre sa ration quotidienne de poissons. Par la suite, traitant de haut sa petite blessure, Horace avait négligé de se faire soigner et la plaie s'était infectée. Quand il s'était enfin décidé à consulter un médecin, sa jambe était perdue et le Miquelon, mêlé au sel de mer et à la saleté, lui avait envahi tout le corps…

J'avais écouté les deux récits avec l'intérêt détaché d'une anthropologue. « Hervé, ils en ont parlé dans les journaux », avait dit l'homme à plusieurs reprises. Je n'en doutais pas et il m'apparut évident que ma mère connaissait les détails de ce fait divers peu glorieux. Le mot Miquelon était inscrit comme un destin dans la vie des Pelletier. Mais Hervé et Horace étaient de vieux morts, que je n'avais pas connus. Je ne m'y attardai pas, et d'autres révélations allaient me secouer davantage.

Fernande était restée avec moi à Cacouna pour mettre de l'ordre dans les affaires de Bertrand pendant que je commençais à régler la succession. Deux jours au cours desquels nous avons beaucoup parlé. De sa vie dans l'Ouest, de son enfance et de ses sœurs. Du climat de favoritisme dans lequel elle avait été élevée. Elle dit :

— Pour papa, dans la famille, il y avait deux belles filles et deux laides. Ta mère était *la* belle. Blanche aussi. Marthe et moi, on n'étaient pas jolies mais fines. Pas seulement parce qu'on avait intérêt à l'être, mais on était comme ça, naturellement fines !
Et elle partit d'un grand éclat de rire.

Je pensai aux inconnus rencontrés au salon funéraire qui m'avaient tous fait la même remarque nostalgique : « Ta mère était donc belle ! C'était la plus belle fille de la place. Et elle dansait bien. » Je dis :

— Peut-être que maman était jolie. Pourtant, elle n'a pas eu la vie facile. Je me demande si la grand-mère l'aimait. Elle l'a déjà giflée et traitée de putain.

— C'est possible, répondit ma tante. Mais au cours de l'hiver que ta mère a passé à la ferme, c'est elle qui a battu maman et l'a traitée de tous les noms. Elle sortait avec des trimpes. Elle était folle des hommes, elle l'a toujours été. Un soir, elle voulait absolument aller danser et maman ne voulait pas. Elle m'a dit : *Les parents, on pourrait les droguer, mettre quelque chose dans leur thé. Comme ça, on sortirait en paix.*

Diantre, me dis-je, Jeanne l'empoisonneuse ! Mais quelle adolescente n'a pas rêvé de zigouiller ses parents, ne fût-ce que le temps d'aller au bal ? Ma tante ajouta d'autres anecdotes de la série Jeanne-et-les-hommes, des histoires qui l'impliquaient personnellement et d'où il ressortait que ma mère était une voleuse de chum. Je souris ; je me rappelais ses manèges autour de mon premier amour et de « mes » hommes. Nous parlions bien de la même personne.

— C'est vrai que Jeanne se distinguait du reste de la famille, continua Fernande. Elle levait le nez sur nous autres et sur tout le monde. Un jour, Manda, la servante, venait de laver les planchers, ta mère est entrée avec ses souliers pleins de boue et elle a marché partout dans la place. « Mon doux Seigneur, c'est effrayant, a dit Manda, mon plancher que je viens de laver ! Mon doux Seigneur ! » – Ma tante imitait l'accent de Manda. Sur l'entrefaite, notre mère est arrivée et a demandé à Jeanne d'ôter ses souliers et de s'excuser. Jeanne a répondu : *Manda est seulement une servante. Elle a juste à recommencer*. Elle ne s'est pas excusée et a gardé ses souliers.

Je suppose qu'il y a un moment dans la vie où quelqu'un se charge de nous dire : « Tu sais, ta maman n'a pas toujours été gentille. » Changement de récitante, changement d'éclairage. Fernande évoquait des séjours assez longs à la ferme, séjours que ma mère ne m'avait jamais mentionnés explicitement. Je croyais que la plupart des scènes mettant en vedette ses frères et sœurs dataient de leur enfance et qu'elles étaient du ouï-dire. Je compris que ma mère avait pu en être témoin à l'âge adulte, et je la situais mieux dans un univers dont elle contrôlait mal les codes. Elle était alors dans la position d'une étrangère en immersion dans un nouveau groupe. Tous les témoignages, y compris le sien, la montrent désœuvrée et trop raffinée : elle passe ses journées en kimono, ne participe ni aux labeurs féminins ni aux travaux des champs et l'odeur des animaux l'incommode. Elle n'est pas un personnage actif de ses récits parce que son rôle dans sa famille est mal défini et ingrat. Elle a accès à sa mère au moment où la plupart songent à s'en détacher, elle ne parvient pas à forcer son amour et c'est avec le regard impitoyable d'une jeune adulte qu'elle l'observe. Pour celle-ci, la Jeanne est une revenante mal élevée, une princesse aguicheuse et indolente. Odélie, qui est alors ménopausée, n'a peut-être pas la patience angélique, l'amour et l'abnégation que lui attribue Fernande. Elle n'a surtout pas les outils nécessaires pour mater une enfant qui vit, bien tard, une révolte piégée. Ce qui laisse la place à l'impertinence d'une part, et aux gifles de l'autre.

Mais ce climat d'hostilité entre les deux femmes n'exclut pas de petites victoires et des consolations du côté des hommes. « Elle était folle des hommes », dit Fernande. Un ami m'avouera plus tard qu'en dansant,

« Jeanne serrait fort ». Je ne sais pas quelles relations elle avait avec ses frères aînés, mais l'espèce de terreur diffuse dont elle entourait le nom d'Hervé sonnait comme une détresse encore vive. En dépit des circonstances de sa mort, elle l'avait idéalisé ; il demeurait le grand frère admiré, désiré peut-être, et disparu à jamais.

La relation de Jeanne à son père me semble plus explicite. Il la trouve belle. Elle est d'ailleurs la seule belle fille de la famille : Blanche a dix ans de moins qu'elle, et au moment où sa beauté risquerait d'attirer les regards, elle disparaît dans un cloître. C'est donc en toute bonne foi que ma mère a pu répéter *J'étais la préférée de mon père.* Jadis inaccessible, ce père est maintenant sensible à la blancheur d'un bras bien ferme. A-t-elle voulu le séduire ? C'est possible. Comme elle a recherché l'amour de sa mère.

Reste qu'elle sortait égratignée des confidences de ma tante et que notre roman familial prenait des allures équivoques. Elle ne s'était jamais égarée dans les méandres de la psychologie, sa fable allait à l'essentiel, mais le point de vue de Fernande la transformait en une actante de cette fable, une fille hautaine et peu scrupuleuse. Je ne crus tout simplement pas qu'elle eût battu sa mère, je ne voulus pas le croire, mais certains détails, qui sonnaient juste, me restaient sur le cœur. Par exemple son mépris envers la servante Manda.

Je comprenais qu'elle ait voulu taire la violence de son père, mais j'étais outrée de ce que, pour mieux la camoufler, elle eût fait de celui-ci un être débonnaire. Je me disais qu'elle aurait pu, au moins, me laisser soupçonner cet aspect de la personnalité de mon aïeul. Peut-être pas quand j'avais cinq ans, mais plus tard, alors que je me débattais avec ma propre violence, dont elle avait dû reconnaître les signes très tôt ; j'étais une enfant véhémente. Mais elle préférait lier mon tempérament bouillant à mon passage par les flammes, le feu de ma gestation en était responsable. Il me semblait maintenant que si j'avais su que mon grand-père maternel était violent lui aussi, j'aurais mieux apprivoisé la rage qui m'avait longtemps possédée, une rage sans objet, comme antérieure à moi-même et que je ne m'étais jamais expliquée.

Les témoignages que j'eus par la suite allaient tous dans le sens de celui de Fernande, chez qui il y avait de la retenue. Selon une proche de la famille, la colère du grand-père était son pain quotidien et c'est pour soustraire sa cadette aux brutalités qui avaient cours dans sa maison que ma grand-mère Odélie l'aurait reconduite au cloître. Même son de cloche venant du Mouton noir, que j'ai croisé à Cacouna en 2002. Il m'a tout de suite parlé du père Horace, qui ne l'avait jamais aimé :

— Je suis pas allé longtemps à l'école, le père est venu me sortir de là à coups de pieds dans le cul pour que j'aille l'aider aux champs. À coups de pieds devant tout le monde ! Même sur son lit de mort, il a été bête avec moi, il m'a répété à quel point j'étais un bon à rien.

Que de nuances apportées au personnage du joyeux luron ! À l'automne 1991, je n'en étais pas là dans mes réflexions, j'en voulais simplement à ma mère de ne pas m'avoir fait part de choses que j'estimais avoir le droit de connaître. Je découvrais chez elle une duplicité dont j'avais une preuve irréfragable dans l'affaire de mon pseudo-viol. Les détails m'en revenaient.

J'ai quinze ans. C'est le samedi saint et nous avons de la grande visite : l'oncle X est à Montréal pour le congé de Pâques. Nous habitons le trois pièces de la rue Boyer ; une cuisine et un salon double. Au fond, la chambre de ma mère, à l'avant, le salon avec mon divan. Ma mère décide que mon oncle dormira avec moi dans le divan. Personne ne discute cet arrangement.

Pendant la nuit, X, qui a bu, se met à me tripoter. Il ne dit rien. Je ne dis rien. Ma mère dort à quelques pieds de nous et j'ai peur de la réveiller. Je me sens agressée et je suis dégoûtée par les manœuvres de l'individu puant qui s'est plaqué contre moi comme une ventouse, mais je parviens à me lever sans bruit et à me réfugier dans la salle de bains, la seule pièce fermée du logis. J'ai pris avec moi de quoi dessiner. Je passe le reste de la nuit à faire mon autoportrait. Au matin, dès que le divan se libère, je m'y glisse pour dormir. Quand je me lève, personne ne me pose de questions sur ma mauvaise humeur. De toute façon, je suis souvent fantasque. En partant, X me tend un billet de cinq dollars, que je lui jette à la figure.

Une fois seule avec ma mère, je m'attends à ce qu'elle me reproche mon impolitesse ; je n'hésiterai pas à lui rétorquer que son frère est un vieux cochon dont l'appétit dépasse le mien et qu'il a voulu brûler les étapes dans ma quête de la volupté. Je suis armée pour une confrontation. Mais elle ne dit rien, et j'en conclus qu'elle ne se doute pas de mes déboires nocturnes ; elle sait que je me lève la nuit pour écrire des poèmes, si elle m'a entendue marcher, elle a dû penser que l'inspiration venait de m'assaillir. Je classe très vite l'affaire, que je n'identifie pas comme une tentative de viol.

Trois ans plus tard, ma mère me laisse seule pendant quelques jours avec un autre de ses frères. L'histoire se répète : l'oncle a bu, il veut coucher avec moi, il est caressant, son corps d'homme mûr et ivre me répugne et je trouve encore une échappatoire. Je ne connais pas grand-chose à la sexualité, mais j'ai compris que les oncles ont tendance à vouloir coucher avec leurs nièces, c'est la routine. Je ne tiens pas ma mère responsable de ce deuxième incident, que je range, comme l'autre, au rayon des ennuis personnels liquidés. Somme toute, je me suis comportée avec mes oncles comme elle, jadis, face au cagoulard qui avait la prétention de la hold-uper : tu l'auras pas, ma caisse ! *¡ No pasaran !* Pour moi, il s'agit de non-lieux. Je chasse complètement de ma pensée l'oncle X et ne remarque même pas que ma mère ne l'a plus reçu et n'a plus jamais prononcé son nom. C'est l'époque où je me fiche de la famille.

La conduite de ma mère m'apparaissait maintenant ambiguë. Notre cas ressemblait à tout ce que j'avais lu, vu et entendu sur le rôle de certaines mères dans l'inceste de leur fille. En mettant son frère dans mon divan-lit, la mienne avait été aussi sotte que celle du petit chaperon rouge. C'est souvent le geste d'une femme qui a été abusée, jeune, et qui reproduit un schéma connu. Il est possible que ma mère ait eu sa part de mésaventures sexuelles infantiles, je n'en sais rien, et mes soupçons, qu'ils portent sur son père, ses frères, ses oncles, ses grands-pères, son cousin Jean-Baptiste, ses autres cousins, les voisins, le beurrier Lévesque ou même le curé Landry, ne seront jamais que des soupçons. De toute façon, ce n'était pas tant son rapport au corps qui me scandalisait que son silence autour de l'affaire X. Ou plutôt son détournement de la parole. Dans l'ascenseur de l'hôpital, à la question révélatrice de Fernande, je m'étais dit : « Ah, la garce ! Elle savait ! » Je n'étais pas offusquée de ce que la famille fût au courant de mes tribulations, mais stupéfaite de découvrir que ma mère en eût parlé à tout le monde sauf à moi. Elle avait étrangement manipulé l'information et, trente ans plus tard, j'en éprouvais une immense colère.

* *

Je passai le reste de l'automne à ruminer. Je cessai d'aller la voir et même de lui téléphoner. J'étais mal en point physiquement, et mentalement épuisée. Mais ce n'étaient pas les véritables raisons de mon retrait. Notre bain de famille à Cacouna avait marqué ce que je croyais être un point de non-retour dans nos relations ; je doutais de sa bonne foi, elle était allée trop loin dans la gestion de mon temps et de mes énergies, et je me percevais comme un robot domestique qui se serait enfui pour sauver sa carcasse. J'étais résolue à ne plus me laisser manipuler.

Sans culpabiliser, je l'ai donc abandonnée aux soins aléatoires du CLSC – Michèle n'était plus à Montréal – et aux visites de ses amies. Je l'imaginais étendue dans le fauteuil blanc du salon, le chat de Bertrand sur les genoux, et pestant contre sa femme de ménage.

Elle a peut-être interprété mon repli à la lueur du quatrième commandement de Dieu et pensé à la chaîne d'obligations qu'il implique : j'avais envers elle une dette de vie, que je n'acquittais pas. Rejetée par sa mère puis dure avec elle, son cauchemar était maintenant de se voir délaissée par moi. Elle maudissait peut-être Fernande et sa franchise mais ne savait pas de quoi nous avions parlé. Elle ne savait qu'une chose : elle et moi étions dans le creux d'un cycle, je reviendrais à de meilleurs sentiments, je lui reviendrais, mais quand ?

Très lentement, la rancœur m'a quittée. Puis l'inquiétude m'a reprise. Après les fêtes, je lui donnai signe de vie. Elle fut très, très gentille. Je recommençai à la voir, mais pas au rythme de l'année précédente, je me réservais des fins de semaine en dehors de la ville.

Entre-temps, elle aussi avait tenté de prendre ses distances. Elle m'avait retiré le mandat de co-exécutrice testamentaire pour le confier à mon fils, alors âgé de seize ans. J'en avais conclu qu'elle ne prévoyait pas mourir avant la majorité de celui-ci, excellente disposition d'esprit, mais j'avais été agacée : voulant m'exclure de ses affaires, elle reportait le fardeau de sa succession sur quelqu'un qui serait alors bien jeune.

Au début de mars, elle me fit parvenir une lettre à propos de la maison de ferme de Bertrand que j'allais mettre en vente, aucun de ses collatéraux ne s'étant montré intéressé à l'acquérir. Sa lettre, utilisant le jargon juridique qu'elle affectionnait, faisait part à l'exécutrice testamentaire F. Noël de l'intention de dame Jeanne Pelletier Noël d'acheter ladite propriété. Son écriture était un peu altérée. Je lui téléphonai aussitôt pour lui dire : « Quelle bonne idée, maman, la succession va te vendre ça pas cher et on ira y faire un tour l'été prochain ! » C'est seulement un mois plus tard que je rédigeai la réponse officielle. Elle ne montra aucun signe d'impatience.

Nos contacts reprenaient graduellement la fréquence de l'année précédente. L'anniversaire de mon fils et le mien sont à deux jours d'intervalle en mars ; elle tint à nous fêter par un repas, chez elle. La triade se reformait comme autrefois. Après le repas, elle se mit au piano et rayonna pendant une petite demi-heure.

À la fête des Mères, quand j'allai lui porter mon bouquet, elle avait reçu le résultat de tests récents : le cancer avait progressé et on lui proposait la chimiothérapie. Je ne sais pas si elle espérait quelque chose de ce traitement, mais elle allait s'y plier. Elle était calme, comme soumise. La chimio ne lui apporta que des douleurs.

En juin, elle se sentit très mal et demanda d'aller à l'urgence. L'hôpital la garda. Ils avaient dépisté un cancer du côlon et décidé de l'opérer. Elle passa par toutes les humeurs, mais cela ne m'atteignait pas car elle n'était plus qu'une grande malade appréhendant l'anesthésie ; elle craignait de ne pas s'en réveiller.

Elle avait toujours eu peur de la mort et toujours tenté de me le cacher, mais enfant, je sentais cette peur et j'en étais imbibée. Sa mère était morte pendant le premier automne que j'ai passé rue Laval. Elle s'était absentée pour aller à Cacouna et en était revenue vêtue d'un tailleur noir que je ne lui connaissais pas, exténuée, mystérieuse, défaite. La semaine suivante, un de ses frères de passage à Montréal lui avait remis un crucifix en plastique blanc. Elle avait eu un mouvement de recul comme devant une image obscène. Elle avait dit : *Pourquoi tu me rapportes ça ? C'était sur le cercueil de maman. C'est macabre !* Elle fit disparaître le crucifix. Elle gomma également les signes du deuil. À l'époque, le petit deuil durait un an. Elle détestait le noir, et au bout de quelques semaines, elle avait déclaré être allergique à la teinture des bas nylon et retrouvé ses habits clairs et une apparente légèreté.

Quand je fus « grande », elle évoqua souvent avec admiration les plaisanteries de sa mère mourante à propos des croque-morts. Mais je l'avais rarement vue dans des circonstances et des lieux de deuil. Quatre ans plus tôt, en 1988, un de mes amis était décédé. Mon fils, qui le considérait comme un oncle, avait voulu être présent aux funérailles. Contrairement à son habitude de ne pas se mêler de son éducation, ma mère m'avait vertement apostrophée :

— Tu ne peux pas faire subir ça à François !

— C'est lui qui l'a demandé…

— Un salon funéraire, c'est pas une place pour un enfant !

J'avais alors compris que, nonobstant ses croyances, malgré ses espoirs combinés en l'immortalité de l'âme chrétienne et une éventuelle réincarnation rosicrucienne, elle considérait la mort comme un gouffre.

La veille de l'opération, elle fit venir un notaire pour modifier son testament, y ajouter un codicille, je ne savais pas trop, je ne voulais pas le savoir. Elle me dit avec insistance : *C'est pour corriger une injustice.* Je ne voyais pas à quoi elle faisait allusion et n'y accordai pas d'importance, je pensais seulement : « D'accord, maman, imagine tous les codicilles que tu veux, refais ton testament ou déchire-le, mais ne meurs pas maintenant ! »

Elle ne mourut pas. Je n'eus pas droit à une rencontre avec son chirurgien. On ne nous dit rien, surtout pas combien de temps il lui restait à vivre. L'idée m'effleura qu'on l'avait ouverte puis refermée... parce qu'il n'y avait rien à faire. Mais on l'envoya au centre de convalescence Villa Medica et elle prit du mieux. À tel point que j'envisageai de partir une semaine au bord de la mer dans un chalet réservé depuis un an.

Un après-midi, dans le couloir de Villa Medica, je croisai son amie Aurore, en larmes. Elle retournait aux USA le lendemain et ne reviendrait pas avant l'été prochain ; elle croyait avoir vu ma mère pour la dernière fois.

Quand j'entrai dans la chambre, je sentis l'air chargé de chagrin ; ma mère avait pleuré elle aussi. Je dis : « Aurore te donne toujours des nouvelles, maman. Vous allez vous revoir... » Elle me répondit simplement : *Non. C'était la dernière fois.*

Je lui avais apporté des cerises. Elle en mangea plusieurs, goulûment, et c'était tellement bon de la voir mordre dans la chair des fruits que je ne crus pas à une véritable cérémonie des adieux. L'opération avait peut-être été utile après tout, elle mangeait ! Elle ne mourrait pas dans l'année ! Bien sûr, elle demeurerait douloureuse, cancéreuse et pénible, mais elle demeurerait. Je partis au bord de la mer.

Chaque jour, au téléphone, elle se montrait reconnaissante de mon appel et elle disait *ça va*, de sa voix habituelle.

Quand je revins, elle avait repris un peu de forces et voulut célébrer son soixante-dix-neuvième anniversaire debout, dans son salon. La famille se retrouva autour d'elle : Michèle, de passage à Montréal, son ami D., mon fils et moi. Elle était très amaigrie mais en verve. Elle nous raconta les derniers développements du roman-fleuve de la femme aux identités multiples. Celle-ci n'était plus noble et Bretonne, comme elle l'avait toujours prétendu, mais Québécoise, roturière et bâtarde. Au-delà de la vexation d'avoir été bernée, ma mère s'amusait de connaître une mythomane de haut vol. Ces petites histoires la rattachaient à la vie, plus que la grande ; elle se désintéressait de ce qui se passait dans le monde.

Après le repas, elle manifesta le goût de fumer, et une cigarette apparut à ses lèvres. Je dis :

—Tu fumes, toi ? Tu fumes en cachette !

Dans les volutes de la fumée qu'elle aspirait bien à fond, elle répondit :

—Je n'ai pas fumé depuis vingt-cinq ans. Aujourd'hui ça me tente, alors je fume. Après tout, c'est ma fête.

— Et c'est bon ?

—Très bon.

Sourire espiègle.

La semaine suivante, mon fils partit à Madrid rejoindre son père comme à chaque été. Je le suivis quelques jours plus tard. Ma mère ne fit aucun commentaire sur mon envie soudaine de revoir l'Espagne. De là-bas, je lui téléphonais chaque jour et chaque jour elle disait *ça va*.

À mon retour, le 12 août, je l'appelai de Mirabel. Elle me dit *ça va pas*. J'admis alors que c'était la fin et que la cigarette de son anniversaire avait été une dernière plaisanterie, une allusion au couloir de la mort dans lequel elle était déjà engagée. Je crois qu'elle aurait pu partir plus tôt, en juillet par exemple, après la visite d'Aurore, mais j'étais toujours ailleurs, comme pour différer ce moment, et patiemment, elle m'avait attendue. J'étais revenue de tous les voyages possibles et il n'y avait plus d'échappatoire.

*

Chaque fois que je l'approche, j'ai l'impression d'entrer avec elle dans la mort, je me sens comme le Vendredi saint, au couvent, pendant l'Office des Ténèbres. Mais je ne peux pas souffrir à sa place, mourir à sa place. Le soir, je retourne chez moi reprendre un peu de vie. Nous ne savons que faire ni l'une ni l'autre, moi parce que je suis à sa remorque et elle parce que c'est la première fois qu'elle meurt. Sans le dire. Elle ne prononce pas le mot mort. Je ne sais pas si elle veut que ça se passe dans son lit ou dans l'asepsie d'un mouroir, et je n'ose pas lui en parler.

Le 17, elle demande d'aller à l'hôpital. Nous partons pour l'urgence tôt le matin. Elle regarde pour la dernière fois le chat de Bertrand, l'appartement qu'elle avait appris à aimer, sa rue, son quartier.

Nous attendons toute la journée que son nom soit appelé. À la fin de l'après-midi, excédée, je monte voir Raymond, un cousin de A., qui est gastroentérologue :

— Excuse-moi de te déranger, Raymond, mais je pense que maman va mourir. Peux-tu faire quelque chose pour qu'elle ait un lit ?

Il me promet de passer à l'urgence après son quart de travail.

Le soir, ma mère est enfin vue par un médecin, qui lui demande de quoi elle souffre. Je m'empresse de dire qu'elle a le cancer du côlon.

— Laissez-la répondre, dit le médecin.

— J'ai une occlusion intestinale, dit ma mère. Elle n'a jamais aimé exposer ses misères devant les étrangers.

— On va vous garder sous observation, dit le médecin. Excusez-moi une minute.

Et il s'éclipse. Nous attendons vingt minutes, une demi-heure, quarante minutes. Ma mère, toujours assise dans le fauteuil roulant que je lui ai déniché le matin, est à bout. Personne ne vient. J'entreprends d'aller à la recherche du médecin disparu. Je l'aperçois à travers la vitre d'un poste de garde ; comme dans un film de série B, il pelote une infirmière. J'ai le goût de le tuer mais son cas n'est pas prioritaire. Je retourne vers ma mère. Sur l'entrefaite, Raymond est arrivé, il a donné des ordres et on apporte enfin une civière. On nous dirige vers un couloir encombré d'autres civières. Lumière aveuglante, interphone, bruits, promiscuité et passages éclairs d'infirmières exténuées. Nous ne sommes pas étonnées, ce sont les conditions habituelles de l'urgence, et au moins ma mère est allongée, elle progresse dans le système de la santé. D'ailleurs, bientôt, deux heures plus tard, on introduit sa civière dans un étroit cubicule entre deux autres patients en attente d'une chambre. Les civières se touchent et je ne peux plus me tenir à son côté. Mais cet enclos est une presque chambre, un bivouac pour la nuit. Il est onze heures trente. Je rentre chez moi.

J'y suis à peine arrivée que le téléphone sonne :

— Devine d'où je t'appelle, dit ma mère.

— J'entends pas de bruit... ils t'ont donné ta chambre ?

— Ils m'ont retournée à la maison.

Le lendemain, je change de tactique, je fais une série de téléphones pour tenter de rejoindre un oncologue de l'hôpital. En vain. À l'admission, mes interlocuteurs sont éberlués, ils ne comprennent pas qu'on ait refusé une patiente si malade, c'est sûrement une erreur, madame, il faut revenir, représentez-vous.

Elle se représente le surlendemain, accompagnée par une bénévole du CLSC. Quand j'arrive à l'hôpital, je la cherche à l'étage des cancéreux, elle n'y est pas. Je la cherche partout, elle est introuvable. À tout hasard, je téléphone rue Cartier ; elle y est. Pour la deuxième fois, on l'a renvoyée chez elle, non sans lui avoir confirmé qu'elle a bien un cancer généralisé.

Je commence à penser que ma mère mourra sans autres soins que les miens et sans médicaments pour alléger ses douleurs. Je ne sais plus à qui demander de l'aide. Comme toujours, le docteur Bember l'écoute et la réconforte, mais ce n'est pas son mandat d'assister les mourants et de leur fournir de la morphine. Pourtant, elle en aurait besoin, elle est de plus en plus souffrante. Elle est faible et perplexe et semble se dire : « Alors, on ne meurt pas maintenant ? Je croyais pourtant que ça y était… » Mais quelque chose dans son corps lutte et se cabre.

Nous nous installons dans ce faux sursis comme dans un redoux en février. Et nous rêvons, du moins je rêve, qu'elle est encore vivante. Je lui demande ce qui lui ferait plaisir, je veux la sortir de chez elle puisqu'elle est libre et n'a plus à ménager sa santé. Elle aimerait revoir le jardin botanique. C'est ça, je vais louer un fauteuil roulant et on ira au jardin botanique. Elle dit *oui, on ira, peut-être pas demain… mais après-demain.* Je voudrais que les dernières choses qu'elle mange soient les meilleures, je lui apporte des pâtisseries de chez Le Nôtre. C'est dimanche. Toute la semaine, ses amies ont téléphoné mais aucune n'est venue la voir, de crainte de la déranger. Aujourd'hui, nous avons la visite inopinée d'un ami à moi qui insiste pour la saluer. Il la connaît à peine. Elle le reçoit au salon, droite dans son fauteuil, malgré son épuisement. Quand il part enfin, je la ramène à sa chambre. Les pâtisseries sont restées sur la table à café dans un rayon de soleil. Intactes. C'est son dernier dimanche sur la rue Cartier.

Le lendemain, j'ai enfin son oncologue au téléphone, une nouvelle venue dans le dossier. Elle a un accent français et une voix très douce, toute fluette. J'imagine une Asiatique ayant étudié en Europe. Elle me dit :

— Elle est en train de mourir, votre petite maman. Qu'elle vienne à l'hôpital dès demain, on va tenter de la soulager.

Enfin quelqu'un qui parle clair ! Nous retournons à l'urgence. Le protocole d'admission est rapide cette fois-ci, mais je ne laisse pas ma mère tant qu'elle n'est pas installée dans une chambre. Elle a soudainement besoin de choses oubliées à la maison, des fichus, des objets pour se rassurer. En allant les chercher, je prends une de ses robes de nuit, car je ne veux pas qu'elle meure dans une affreuse jaquette d'hôpital.

Le lendemain, elle est affectueuse et calme. Elle parle peu et quand elle parle, ce n'est pas d'elle mais de mon fils ; elle saisit parfaitement qui il est, elle connaît ses rêves et devine ses regrets.

En début d'après-midi, un médecin vient la voir, un homme plutôt âgé avec un gros ventre maternel. Il lui dit qu'elle est une femme exceptionnelle, courageuse, tenace, qu'elle a beaucoup souffert et que ce n'est pas nécessaire. Et doucement, il la convainc d'accepter la morphine, un peu, ils ne l'assommeront pas, elle ne perdra pas toute sa lucidité…

À partir de ce moment, elle a cessé de lutter. La mort a quelque chose de convulsif, mais la sienne a été discrète. Et digne. Je n'ai pas d'autre mot pour la qualifier. L'agonie a duré cinq jours. Son ami D. et mon fils vinrent la voir et la soigner. Le reste du temps, je m'assoyais dans son lit et je lui tenais la main, comme à une enfant qui a besoin d'être rassurée. Elle était cette petite fille qu'elle avait souvent évoquée, qui tombe et se ramasse aussitôt, mais elle tombait irrémédiablement.

Le dernier jour, A. et un ami sont passés nous voir. À leur départ, craignant que je sois partie avec eux, elle m'appela : *Francine !* « Oui, maman, je suis là, je reste avec toi toute la journée. » D'une voix chargée d'angoisse, elle demanda : *La nuit aussi ?* Je dis : « Oui, la nuit aussi. » Sa main se détendit et elle ne dit plus rien.

VI

LA VIE APRÈS JEANNE

Dans sa lettre commençant par *Chère enfant martyre*, ma mère m'avait écrit : *La mort, ça dérange, tu le verras...* Mon deuil a été un long dérangement. Malade, j'ai pensé mourir à mon tour pour faire comme elle, à défaut de n'avoir pas assez fait « avec » elle de son vivant. Je ne me consolais pas de nos conflits non résolus.

J'allais à son appartement plusieurs fois par semaine et je regardais ses choses, ne sachant pas comment en disposer, ne voulant rien défaire. Il me fallut deux mois pour vider les lieux. Au fond d'une garde-robe, je reconnus sa mallette de produits *Beauty Counselor*. Je n'eus pas le courage de la jeter.

Je gardai aussi ses bijoux et ses vêtements. Je les ai portés, au grand étonnement de mon entourage. J'étais atteinte d'une sorte de mimétisme primitif proche de la contagion. Je voulais me vêtir d'elle, me l'incorporer.

J'emportai chez moi ses plantes et ses livres. Il y avait beaucoup de livres de nutrition et de médecine naturelle. *Je me soigne moi-même,* disait-elle, *les médecins ne connaissent rien à l'alimentation.* Les documents personnels étaient rares : une lettre d'avocat réclamant des droits de visite pour mon père, leur jugement de séparation de corps, des testaments périmés, des carnets de voyage et une page de son journal me concernant.

Au cours de sa maladie, elle avait engagé une étudiante pour l'aider à faire le ménage dans ses papiers.

Je ne m'étais pas offusquée de son manque de confiance envers moi, je me disais qu'elle avait droit à ses secrets. Elle avait presque tout détruit à l'exception de trois liasses de lettres.

La première, bien en évidence, venait de Fernande. On pouvait y suivre, au fil des jours, le déroulement du procès du Mouton noir. Ma mère semblait m'avoir laissé ces lettres pour que je comprenne la honte des femmes Pelletier. C'est son seul addendum au roman familial.

Une autre série, datant des mêmes années 1970, faisait état d'une querelle avec un individu vaguement marginal qu'elle avait tenté d'*aider* et qui, en retour, avait vandalisé son appartement de la rue Chabot. Une histoire à laquelle elle avait fait quelques allusions nébuleuses : *Il s'est passé des choses terribles ici, j'ai dû tout purifier.*

La troisième liasse était coincée entre deux livres. Ce sont des lettres d'amour qu'un homme lui a écrites au début des années 1960, alors que je la croyais totalement abandonnée. Je les ai lues seulement pendant la rédaction de ce texte. Je me suis alors rappelé les visiteurs de mon enfance, un certain blond au prénom allemand, plus jeune qu'elle, son ami le curé de Saint-Nicolas, enclin aux accolades, et d'autres. Quand nous vivions rue Laval, il y avait parfois des gestes équivoques, des conversations troubles, et elle était capable de se laisser embrasser au-dessus de moi en me tenant bien serrée dans ses bras, ma tête enfouie dans son corsage. Les hommes étaient méprisables, mais pas tous.

Au fond d'un tiroir, j'ai trouvé un cliché de photomaton sur lequel elle apparaît, jeune et pâle, le visage collé à celui d'un homme portant moustache. Une photo d'amoureux prise à la sauvette. Je ne sais pas qui est cet homme. Il a dû compter pour elle puisque son image a traversé sa vie et résisté au feu. Mais peut-être s'agit-il d'un cavalier comme les autres, car sur une photo de groupe que Michèle m'a fait parvenir, on la voit dans la même position avec le même air énamouré, blottie contre un autre.

Une fois mariée, elle a cessé d'afficher ses attirances. La passion semble avoir toujours été liée pour elle à l'impossibilité de se concrétiser et d'éclater au grand jour. Le *Sonnet* d'Arvers et les *Réponses* qu'il a suscitées parsemaient ses livres comme des leitmotive, il en tombait de partout :

Mon âme a son secret, ma vie a son mystère,
Un amour éternel en un moment conçu.
Le mal est sans espoir, aussi j'ai dû le taire...

Et Louis Fréchette de répondre :

Non, non, votre secret n'était pas un mystère.
Cet amour éternel discrètement conçu,
Vous avez, ô poète, eu grand tort de le taire :
Celle que vous aimiez l'a toujours fort bien su...

Dans son grand nettoyage, elle avait tout supprimé, sauf ces traces, dont je ne sais pas jusqu'à quel point elles étaient délibérées et qui ne permettent que d'extrapoler. Par contre, celles qu'elle a laissées volontairement sont claires.

Les enfants uniques s'attendent à hériter de l'ensemble des biens de leurs parents et à devoir liquider eux-mêmes la succession. Or, ma mère ne m'avait pas désignée comme exécutrice testamentaire, sinon par défaut, et je n'héritais, en propre, de rien qui vînt directement d'elle : je devais partager ses meubles et biens résiduels avec D., Michèle et mon fils.

Elle avait saupoudré ses économies entre des organismes de charité et quelques personnes, et la plus grosse part revenait à mon fils. Je trouvai normal qu'elle lui laissât cet argent à lui plutôt qu'à moi, *la riche bourgeoise*, et amusant qu'elle m'eût déshéritée. C'était bien elle, ça, sacrée maman, quel tempérament ! Mais peu à peu il me fallut admettre qu'elle ne m'avait pas fait confiance pour accomplir ses dernières volontés. Le testament, si important dans la culture rurale dont elle était issue, marque la sanction finale, ce qu'on pense vraiment de ceux qui restent. J'étais sa seule héritière directe et elle me punissait de ne pas l'avoir assez fréquentée et peu cajolée. Je ne m'en offusquai pas car l'amour gratuit est rare.

Et puis, dans un alinéa qui me concernait moi seule, elle m'avait réservé une surprise :

« Je lègue [...] ma propriété située à Cacouna à ma fille... »

Car elle était morte propriétaire ! Si les murs dans lesquels elle vivait à Montréal appartenaient à des gens dont la persistance à l'ignorer équivalait, à ses yeux, à une dépossession, elle avait eu la consolation de se raccrocher à Cacouna. En prenant connaissance de son offre d'achat, je m'étais dit qu'elle désirait retourner dans la maison de ses parents. Je lui prêtais des intentions qu'elle n'avait probablement pas, elle se savait condamnée à son lit et avait agi pour un autre motif. À la mort de Bertrand, elle m'avait dit : *C'est toi qui aurais dû hériter de la ferme.* Effectivement, Bertrand avait toujours voulu que je l'accompagne chez le notaire pour refaire son testament à mon avantage, j'avais toujours reporté cette démarche d'une visite à l'autre, et finalement je n'avais rien hérité de lui. Ça m'était égal. Ma mère ne l'entendait pas de cette façon : mauvaise fille, je n'aurais rien d'elle, mais considérant que j'avais été spoliée de mon dû, elle avait acquis la maison de ferme dans le seul but de me la remettre.

Ce legs m'a d'abord embarrassée. Je ne savais que faire de cette propriété trop loin de Montréal. Je m'y suis rendue au printemps 1993. La maison n'était plus qu'un chalet d'été, un shack délabré. Comme toujours, le fleuve était grandiose et l'air salin, grisant. Je compris que je ne pourrais jamais vendre ce morceau de terre enclavé dans des champs cultivés autrefois par mon grand-père et mes oncles. Je nettoyai la place et partis à regret.

Chaque année, j'y passe quelques jours au temps des oies blanches et des frimas qui, à l'aube, se lèvent en brume sur le fleuve. Ce paysage demeure pour moi celui de la campagne archétypale, il est le plus beau. Cacouna est un des rares endroits où je me sente des racines. J'ai le plaisir d'y fréquenter des personnes qui ont connu et aimé ma famille. Un jour, au lieu d'évoquer le sempiternel problème de boisson, un ami m'a dit : « Tu sais, ta grand-mère et tes oncles, c'étaient des gens brillants, débrouillards, spirituels. » Ce jour-là, pour la première fois de ma vie, j'ai ressenti la fierté d'appartenir à une famille. Là-bas, je deviens une Pelletier, je suis la nièce de Bertrand et la fille-à-Jeanne. Car ce lieu me rappelle aussi ma mère, jeune et belle, telle que ses désirs la portaient. Elle aura eu le dernier mot : dans un ultime geste d'élégance, elle a réussi à me donner ce qu'elle n'avait pas eu, l'accès à notre maison familiale.

Elle m'a également transmis, volontairement et non, ses valeurs et comportements, certaines de ses appétences, et laissée avec des affects négatifs qui ont pesé sur ma vie. Les plus lourds sont ma fascination pour la beauté et mon rapport aux hommes. Pour l'avoir d'abord aimée lointaine et aléatoire, jamais acquise, j'ai tendance à désirer des êtres inaccessibles et j'excelle dans les amours non partagées...

Il y a aussi la peur. Ou plutôt il y avait la peur. Pendant sa semaine d'agonie, j'ai fait un aller-retour à la campagne et j'y ai dormi seule dans la noirceur d'une lune décroissante. Cette nuit-là, ma peur m'a quittée ; c'était celle de ma mère et elle l'a emportée en mourant.

Elle aura été une superwoman avant la lettre et, forte de son exemple, je suis tombée tête baissée dans ce piège. Mais ceci est une autre histoire. De toute façon, il est préférable d'avoir comme modèle une petite Mère Courage plutôt qu'une mollassonne à la tête courbée. Je lui dois mon assurance au travail, mon sentiment d'appartenance de classe – celle dont je suis issue – et la fierté d'être Québécoise.

Mais ce qu'elle m'a légué de plus fort, c'est le verbe. J'ai attrapé son amour des histoires. Enfant, j'ai vécu dans les siennes et elles ne m'ont jamais quittée. Je connais des tas de gens dont l'enfance est un trou noir ou une série de secrets non compensés par un roman familial consistant. J'ai pu m'arrimer à celui que ma mère m'a façonné car il était riche. S'il s'est partiellement délité sous la poussée des autres voix et de ma réflexion, il me reste le bonheur de l'avoir eu comme viatique.

Souvent, la vie est le récit qu'on en fait. La fiction désigne le réel, et la fable renvoie toujours à quelque chose de viscéral chez le récitant. Elle est directe et transparente, quasi indécente pour qui sait l'entendre, car on ne parle jamais que de soi... À l'université, j'ai tenu des ateliers d'écriture pendant une vingtaine d'années, proposant sans cesse de nouveaux exercices, des plus simples aux plus retors. Après la mort de ma mère, je commençai à donner un exercice que certains étudiants trouvaient « rushant » et que moi j'adorais. Il s'agissait de construire un canevas de pièce de théâtre à partir des éléments suivants : deux femmes en conflit, un nourrisson et une figure d'autorité. Jamais personne n'a reconnu là les composantes du jugement de Salomon. Quand les étudiants en avaient bien bavé et exposé le fruit de leur labeur, je leur « révélais » que la pièce avait déjà été écrite par un certain Bertolt Brecht – lisez *Le cercle de craie caucasien* – et que Brecht avait utilisé une vieille anecdote biblique, eh oui, la plupart des histoires existent déjà ! Plusieurs étudiants étaient sensibles et cultivés. S'il leur arrivait de questionner mon goût pour le fonds judéo-chrétien, aucun, aucune ne m'a jamais demandé pourquoi, parmi tous les clichés de notre culture, je leur imposais celui du jugement de Salomon. Pourquoi pas plutôt le sacrifice d'Abraham ? Ou celui d'Iphigénie ? Parce que le jugement de Salomon me rappelait le destin de la petite Jeanne, déchirée entre deux femmes. Comme jadis avec mes camarades de scène, je continuais d'évoquer ma mère mais, devenue plus habile, je le faisais sous le couvert de la fable.

J'ai longtemps cru que Jeanne Pelletier était immortelle. Je situais l'immortalité autour de quatre-vingt-quinze ans.

Ce qui rend la mort révoltante, c'est de savoir que l'être cesse d'exister à tout jamais. Je ne crois pas en la résurrection de la chair, intacte comme après un long sommeil. Je ne crois pas non plus à la métempsycose. La mort marque la perte de la conscience individuelle et de la mémoire, qui fait le lien entre les moments de conscience : tout se dégrade et se disperse, et plus jamais ne se retrouveront ensemble les molécules ayant formé tel corps, tel cerveau uniques. Jeanne Pelletier ne pense plus et ne sent plus rien. Absente d'elle-même à tout jamais, elle l'est aussi pour les survivants.

Neuf ans après sa disparition, au cours d'un déménagement, je trouvai parmi d'autres vieilleries une chose laide et raide en faux cuir rouge brique, le coffret de produits *Beauty Counselor*, promesse de beauté. Je l'ouvris. Tout y était, miroir, pinceaux, graphiques, échantillons : toutes les nuances d'ombres à paupières et de rouges, et les minuscules bouteilles de poudre, bien rangées comme des urnes de cendre rosée. Je les ouvris une à une. Il s'en exhalait des effluves sucrés et entêtants ; c'était l'odeur du gagne-pain de ma mère et de ses rêves, son odeur du temps où je l'aimais désespérément.

De tels souvenirs, quasi tangibles, sont rares. Au quotidien, il faut se contenter de la mémoire et de ses trous. Des regrets. Même après la période de deuil, il nous reste de nos morts une nostalgie à laquelle seule notre propre mort mettra fin.

Je m'ennuie de ma mère. Non pas de la fée de mon enfance, mais de celle qui l'a remplacée, la femme fantasque et difficile avec qui j'avais des éclairs de complicité, le plaisir des mots et du rire. Je m'ennuie de son courage, de sa fougue et même de son implacable orgueil. Je ne saurai jamais ce qu'elle aurait pensé de ce siècle débutant et de ses convulsions, ni de tout ce qu'elle n'aura pas connu. La série de ses monologues est close, et quand le téléphone sonne, je n'ai plus à redouter que ce soit elle, ce n'est plus jamais elle, plus jamais sa voix.

* * *

Dès l'été de sa mort, j'ai rêvé d'écrire ce livre sur elle pour célébrer son verbe à la fois pléthorique et lapidaire. Mais je n'ai pas son style. Je voulais quelque chose qui eût son panache, de plaisantes anecdotes, et ne raconter que nos bons moments. Mais un tel livre aurait été faux car trop de douleur me liait à elle et je n'ai pas su en faire l'économie. Il n'y a pas de récit complet et objectif. Je n'ai donc pas cherché « la » vérité, mais à raconter ma mère comme elle se disait et comme je l'entendais se dire.

Elle a été tout à la fois ma mère et mon père, celle d'où je viens, celle qui m'a nourrie et marquée à vie. Ce texte est une simple petite bataille contre l'envasement de la mort. Un mémorial. Le refus de la perte.

OUVRAGE RÉALISÉ PAR
LUC JACQUES, TYPOGRAPHE
ACHEVÉ D'IMPRIMER
EN FÉVRIER 2005
SUR LES PRESSES DES IMPRIMERIES
TRANSCONTINENTAL (QUÉBEC)
POUR LE COMPTE
DE LEMÉAC ÉDITEUR
MONTRÉAL

DÉPÔT LÉGAL
1re ÉDITION : 1er TRIMESTRE 2005
(ÉD. 01 / IMP. 01)